Cocina "rica y deliciosa"

Platillos fuertes

¡Más de 50 exquisitas recetas de fácil preparación!

Grupo Editorial Tomo, S.A. de C.V.,
Nicolás San Juan 1043,
03100 México, D.F.

@ Copyright R&R Publications Marketing Pty. Ltd
ABN 78 348 105 138
PO Box 254, Carlton North, Victoria 3054 Australia
Phone (61 3) 9381 2199 Fax (61 3) 9381 2689
E-mail: info@randrpublications.com.au
Website: www.randrpublications.com.au
Australia wide toll free: 1800 063 296

©Richard Carroll

Fresh & Tasty Casseroles

Publisher: Richard Carroll
Creative Director: Aisling Gallagher
Cover Designer: Lucy Adams
Typeset by Elain Wei Voon Loh
Production Manager: Anthony Carroll
Food Photography: Steve Baxter, Phillip Wilkins, David Munns, Thomas Odulate,
Christine Hanscomb and Frank Wieder
Home Economists: Sara Buenfeld, Emma Patmore, Nancy McDougall, Louise Pickford,
Jane Stevenson, Oded Schwartz, Alison Austin and Jane Lawrie
Food Stylists: Helen Payne, Sue Russell, Sam Scott, Antonia Gaunt and Oded Schwartz
Recipe Development: Terry Farris, Jacqueline Bellefontaine, Becky Johnson, Valerie Barrett,
Emma Patmore, Geri Richards,
Pam Mallender and Jan Fullwood
Proofreader: Kate Evans

© 2011, Grupo Editorial Tomo, S.A. de C.V.
Nicolás San Juan 1043, Col. Del Valle, 03100, México, D.F.
Tels. 5575-6615, 5575-8701 y 5575-0186 Fax. 5575-6695
http://www.grupotomo.com.mx
ISBN-13: 978-607-415-302-6
Miembro de la Cámara Nacional
de la Industria Editorial No 2961

Traducción: Lorena Hidalgo Zabadúa
Diseño de portada: Karla Silva
Formación tipográfica: Armando Hernández
Supervisor de producción: Silvia Morales Torres

Impreso en México - Printed in Mexico

14

Contenido

55

75

Introducción

Los guisados son famosos por tres razones principales: puedes
prepararlos con antelación; se cuecen sin necesidad de que cuides la
cazuela; son rápidos, deliciosos y fáciles de servir.

La base de los guisados es combinar los sabores de los ingredientes

y muchos de ellos saben mejor si los preparas con antelación. Algunos pueden hacerse con mucho tiempo de anticipación y congelarse hasta que vayas a usarlos. Otros se prestan para prepararlos el día anterior, guardarlos en el refrigerador y recalentarlos para servirlos. Los guisados también son excelentes para comidas de última hora. Puedes prepararlos con los ingredientes que tienes en la alacena y aumentar las cantidades para alimentar a muchos invitados.

La cocción lenta que requiere la mayoría de los guisados hace que sean una forma excelente para usar cortes de carne menos costosos (y menos suaves), los cuales se vuelven tan suaves y tienen tanto sabor como si fueran el filete más caro cocinado a fuego lento durante mucho tiempo.

Muchos guisados contienen los ingredientes necesarios para un platillo balanceado en la carne, las verduras y la salsa –y pueden servirse acompañados de una sencilla ensalada o con pan crujiente–. Los guisados deben servirse en el recipiente en el que se cuecen. Hoy en día existe una gran variedad de atractivos recipientes resistentes al fuego y es fácil encontrar el color, la forma y el tamaño que te guste.

Lo mejor de un guisado es que se cocina solo. Una vez que combinas los ingredientes puedes relajarte y dejar que se cueza en el horno o en la olla de cocción lenta sobre la estufa mientras tú convives con tus invitados o tu familia.

Guisados con cordero

Con una suave textura y agradable sabor, no nos
extraña que la carne de cordero tenga su propio
capítulo. Si mezclas cordero con cualquier tipo de
verduras y especias obtendrás un sinfín de formas
de complacer a tu paladar. Ya sea cocida
lentamente con macadamias o al horno con
chabacanos descubrirás lo versátil que es esta carne
en la cocina de todos los días. Es excelente para
compartirla con la familia en comidas informales o
en cenas de gala como un magnífico primer tiempo.
Seguramente prepararás estas recetas una y otra vez
conforme experimentes las maravillas que te ofrecen.
Así que enciende el horno o la olla de cocción lenta
¡porque estás a punto de darte un festín!

Chamorros de cordero con tubérculos

Preparación 20 mins   **Cocción** 1 hr 15 mins   **Calorías** 646   **Grasa** 6.5 g

2 cucharadas de aceite de oliva

2 chirivías (raíz parecida a la zanahoria), peladas, cortadas en trozos grandes

1 camote mediano, pelado, cortado en trozos grandes

1 nabo, pelado, cortado en trozos grandes

1 manojo de cebollas de cambray, recortadas

2 dientes de ajo, machacados

4 chamorros de cordero

¾ taza de caldo de res

¼ taza de agua

½ taza de vino tinto

1 cucharada de pasta de tomate

2 ramitas de romero, picadas

1 bouquet garni (ramillete de hierbas aromáticas)

Pimienta recién molida y sal

1 En una cacerola grande de base gruesa calentar 1 cucharada del aceite, añadir los tubérculos y cocer rápidamente hasta que tomen color café. Transferir a un plato y reservar. Añadir el resto del aceite a la cacerola, dorar el ajo y el cordero durante unos minutos.

2 Verter el caldo, el agua y el vino tinto a la cacerola, añadir la pasta de tomate, el romero, el bouquet garni, sal y pimienta. Dejar que suelte el hervor, reducir el fuego, dejar hervir a fuego lento durante 20 minutos, tapada.

3 Devolver los tubérculos a la cacerola, continuar la cocción durante 30 minutos más, hasta que todos los ingredientes estén cocidos.

4 Retirar el bouquet garni y verificar la sazón antes de servir.

Porciones 4

Curry kelapa con cordero

Preparación 20 mins **Cocción** 1 hr 35 mins aproximadamente **Calorías** 173 **Grasa** 4.25 g

1 cucharada de aceite de oliva

1 cebolla, picada

1 cucharadita de ajo, recién machacado

1 cucharadita de jengibre, recién picado

1 cucharadita de comino, molido

1 cucharadita de cilantro, molido

cucharadita de garam masala (mezcla de especias de la cocina hindú)

1 cucharadita de chile en polvo

50g de carne magra de cordero, cortada en cubos

$^1/_2$ taza de leche de coco

$^1/_2$ taza de pasas

425g de mango de lata, rebanado, sin colar

2 plátanos grandes, picados

1 En una cacerola grande calentar el aceite, freír la cebolla, el ajo y el jengibre. Añadir las especias y freír durante 1 minuto.

2 Agregar el cordero y freír de 2 a 3 minutos. Reducir a fuego lento, añadir la leche de coco, las pasas y las rebanadas de mango.

3 Tapar y hervir a fuego lento durante 90 minutos, revolviendo ocasionalmente. Añadir los plátanos durante los últimos 20 minutos de cocción.

4 Servir el curry con arroz y pan papadam (pan fino y crujiente de la cocina hindú).

Porciones 4 a 6

Guisado de cordero con camote

Preparación 25 mins **Cocción** 1 hr 50 mins **Calorías** 662 **Grasa** 42 g

1 cucharada de aceite de oliva

12 chuletas de cordero

4 tazas de caldo de cordero
o de pollo

2 cebollas, finamente rebanadas

700g de camotes, cortados en tiras
de 1cm de grosor

1 $\frac{1}{4}$ tazas de zanahorias, picadas

5 tallos de apio, picados

6-7 hojas de salvia, frescas,
o 1 cucharadita de salvia seca

4-5 ramitas de tomillo fresco,
o 1 cucharadita de tomillo seco

Sal y pimienta negra

3 cucharadas de cebada perlada
(grano del cereal que ha
sido pelado y pulido)

1 Precalentar el horno. En una sartén grande de base gruesa calentar el aceite, freír las chuletas de 1 a 2 minutos por lado hasta que se doren (quizá sea necesario freírlas en tandas). Retirar las chuletas, quitar el aceite y eliminar, añadir media taza de caldo a la sartén. Dejar que suelte el hervor, revolviendo y raspando el fondo de la sartén, agregar el resto del caldo.

2 En un recipiente grande resistente al fuego colocar la mitad de las cebollas. Colocar encima $\frac{1}{3}$ de los camotes, añadir la mitad de las zanahorias y del apio junto con la salvia, el tomillo y las chuletas. Sazonar, espolvorear con la cebada. Repetir las capas y terminar con el resto del camote. Verter el caldo encima y tapar.

3 Cocer durante 1 $\frac{1}{2}$ horas hasta que la carne esté suave, verificar ocasionalmente y añadir más caldo o agua si el guisado se seca demasiado. Retirar la tapa, aumentar la temperatura del horno a 230°C. Cocer de 8 a 10 minutos, hasta que los camotes estén dorados.

Porciones 6

Nota: es una alternativa saludable para el estofado tradicional. Las hierbas frescas añaden un sabor extra a la suave carne de cordero y a las verduras, aunque también se pueden usar hierbas secas.

Temperatura del horno 190°C, 375°F

Tagine de cordero con ciruelas

Preparación 20 mins **Cocción** 2 hrs aproximadamente **Calorías** 100 **Grasa** 2 g

400g de carne de cordero, en cubos
para guisado

1 cebolla mediana, finamente picada

½ cucharadita de jengibre, molido

1 ½ tazas de caldo de pollo

1 ramita de canela

Sal y pimienta al gusto

1 taza de ciruelas pasa, sin hueso

1 cucharada de miel

2 cucharadas de ralladura de
naranja

1 Cortar un círculo de papel aluminio 4 cm más grande que el diámetro de la base de la cacerola. Forrar la cacerola con el papel, presionando bien contra las orillas.

2 Calentar la cacerola a fuego alto, colocar los cubos de carne y la cebolla en una sola capa. Cuando la parte inferior haya cambiado de color, voltear para sellar y sellar toda la superficie volteando de vez en cuando. Añadir el jengibre, revolver para cubrir la carne, verter media taza del caldo y retirar de inmediato el papel aluminio, reservar. Verter el resto del caldo, la ramita de canela, sal y pimienta. Dejar que suelte el hervor, reducir inmediatamente a fuego lento. Colocar el papel reservado sobre la carne para evitar que el vapor se escape, hervir a fuego lento durante 50 minutos.

3 Retirar y eliminar el papel. Agregar las ciruelas, la miel y la ralladura de naranja. Hervir a fuego lento, tapada, durante 40 minutos o hasta que la carne esté suave. Durante los 10 últimos minutos de cocción retirar la tapa para reducir el líquido. Servir sobre cuscús al vapor (ver página 12).

Porciones 4

Chamorros de cordero con cuscús

Preparación 15 mins **Cocción** 1 hr 40 mins **Calorías** 430 **Grasa** 5 g

4 chamorros de cordero, magros,
la carne separada del hueso
(sin desechar el hueso)

2 tazas de tomates de lata, picados

1 taza de vino tinto

1 hoja de laurel

6 ramitas de tomillo fresco

1 ramita de canela

1 1/2 tazas de calabaza,
cortada en trozos grandes

2 calabacitas, cortadas
en trozos grandes

8 chabacanos, deshidratados

8 ciruelas pasa, deshidratadas

1 taza de cuscús (pequeños
granos de sémola de trigo)

2 cucharadas de almendras
fileteadas, tostadas

1 Precalentar el horno. Calentar una sartén grande a fuego alto, sellar las tiras de carne, en tandas, hasta que tomen color café. Transferir a un recipiente para horno.

2 Añadir los tomates, el vino, la hoja de laurel, el tomillo y la canela. Tapar y hornear durante 1 hora. Agregar la calabaza y la calabacita, los chabacanos y las ciruelas, cocer sin tapar durante 30 minutos más o hasta que las verduras estén suaves y la carne comience a despegarse del hueso.

3 Colocar el cuscús en un tazón grande, cubrir con 2 tazas de agua hirviendo, dejar reposar durante 10 minutos o hasta que todo el líquido se haya absorbido.

4 Servir los chamorros en tazones hondos sobre el cuscús y decorar con las almendras fileteadas.

Porciones 4

Nota: pide al carnicero que prepare la carne.

Temperatura del horno 160°C, 325°F

Cordero con nueces macadamia

Preparación 15 mins + tiempo para marinar **Cocción** 2 hrs 15 mins **Calorías** 360 **Grasa** 4.5 g

700g de carne de cordero sin hueso, sin grasa, cortada en cubos de 2cm

⅓ taza de pasas

½ taza de leche evaporada, descremada

Marinada de yogur con especias

1 cebolla, picada

⅓ taza de nueces macadamia sin sal, molidas

2cm de jengibre fresco, picado

½ taza de yogur natural, sin grasa

2 cucharaditas de jugo de limón verde o amarillo

3 cucharaditas de cilantro, molido

2 cucharaditas de cardamomo, molido (semillas aromáticas de sabor intenso)

½ cucharadita de pimienta negra, recién molida

1 Para hacer la marinada, en un procesador de alimentos colocar la cebolla, las nueces, el jengibre, el yogur y el jugo de limón. Procesar para mezclar. Incorporar el cilantro, el cardamomo y la pimienta.

2 Colocar el cordero en un recipiente de vidrio o de cerámica. Verter la marinada encima, revolver para cubrir. Tapar y dejar marinar en el refrigerador durante toda la noche.

3 Transferir la mezcla de la carne a una sartén grande de base gruesa. Incorporar las pasas y verter la leche evaporada. Colocar la sartén a fuego medio y dejar que suelte el hervor. Reducir a fuego lento. Tapar y cocer durante 1½ horas, revolviendo ocasionalmente.

4 Retirar la tapa. Cocer de 30 a 40 minutos, revolviendo ocasionalmente, hasta que la carne esté suave y la salsa espesa. Añadir un poco de agua durante la cocción, si es necesario.

5 Servir con arroz hervido y verduras al vapor.

Porciones 4

Guisado de cordero con cuscús y gremolata

Preparación 30 mins **Cocción** 1 hr **Calorías** 681 **Grasa** 25 g

Sal de mar y pimienta negra recién molida

2 cucharadas de harina común

4 tazas de carne de cordero, en cubos, magra

2-3 cucharadas de aceite de oliva extra virgen

1 pimiento amarillo, 1 pimiento verde, sin semillas, picados

2 tazas de tomates de lata, picados

Gremolata (salsa verde italiana)

1 diente de ajo, muy finamente picado

3 cucharadas de perejil fresco, finamente picado

Ralladura de 1 limón

Cuscús (pequeños granos de sémola de trigo)

2 tazas de cuscús

1 cucharada de aceite de oliva extra virgen

1 cebolla grande, finamente rebanada

1 Precalentar el horno. Sazonar la harina y esparcirla sobre un platón grande, revolcar la carne en ésta para cubrirla bien. En una sartén grande calentar el aceite y cocer la carne, en tandas, a fuego medio de 2 a 3 minutos por lado, hasta que tome color café. Con una cuchara coladora transferir la carne a una cazuela.

2 Colocar los pimientos en la sartén, cocer durante 2 minutos. Añadir los tomates y dejar que suelte el hervor. Agregar la mezcla del tomate a la carne y cocer en el horno durante 40 minutos o hasta que la carne esté suave. Mientras mezclar todos los ingredientes para la gremolata.

3 Preparar el cuscús siguiendo las instrucciones del paquete, revolverlo con un tenedor para airearlo. En una sartén pequeña calentar el aceite, freír la cebolla a fuego medio durante 10 minutos hasta que esté dorada. Agregar el cuscús y mezclar bien. Servir la gremolata sobre la cazuela del cordero y acompañar con el cuscús.

Porciones 4

Nota: la gremolata es una mezcla de hierbas finamente picadas, ajo y ralladura de cítricos. Agregarla al guisado justo antes de servirlo aporta una nueva dimensión de sabor.

Temperatura del horno 180°C, 350°F

Cordero con limón y tomillo

Preparación 20 mins **Cocción** 1 hr 45 mins aproximadamente **Calorías** 100 **Grasa** 4.5 g

750g de paleta de cordero magra, cortada en cubos

1 cucharada de aceite de oliva

1 cucharada de hojas de tomillo

2 cucharaditas de ajo, recién machacado

1 cebolla, picada

¼ taza de harina común

¼ taza de jugo de limón

½ taza de vino blanco dulce

¾ taza de caldo de pollo

Pimienta negra

1½ tazas de arroz

6 hojas de espinacas, picadas

3 zanahorias grandes, en tiras finas

Ramitas de tomillo fresco

1 Mezclar el cordero, el aceite, el tomillo y el ajo. En una sartén de teflón dorar la carne con la cebolla. Agregar la harina y cocer durante 5 minutos. Verter el jugo de limón, el vino y el caldo.

2 Tapar y hervir a fuego lento durante 1½ horas, revolviendo ocasionalmente u hornear tapado en un recipiente para horno a 160°C durante 1½ horas. Sazonar con pimienta.

3 Mientras cocer el arroz siguiendo las instrucciones del paquete. Cocer las espinacas en el horno de microondas o al vapor de 3 a 4 minutos y las zanahorias de 3 a 4 minutos. Mezclar el arroz y las espinacas.

4 Servir la carne con el arroz y las zanahorias. Decorar con el tomillo.

Porciones 4-6

Nota: la carne del chamorro en cubos es excelente para esta receta.

Chuletas de cordero con curry dulce

Preparación 10 mins **Cocción** 30 mins aproximadamente **Calorías** 138 **Grasa** 4.25 g

8 chuletas de cordero, magras
1 cucharadita de mantequilla
1 cebolla, finamente picada
$1/2$ pimiento rojo, picado
375ml de salsa de curry en lata (condimento picante de la cocina hindú)
1 taza de piña, machacada
$1/4$ taza de pasas
1 taza de arroz de grano largo

1 Quitar el exceso de grasa de las chuletas. En una sartén grande de base gruesa derretir la mantequilla. Dorar las chuletas por ambos lados de 1 a 2 minutos. Retirar de la sartén y reservar.

2 Saltear la cebolla y el pimiento en el líquido de cocción de 2 a 3 minutos. Añadir el curry preparado, la piña y las pasas. Devolver las chuletas a la salsa de curry. Tapar y hervir a fuego lento durante 20 minutos. Revolver dos veces durante la cocción. Sazonar al gusto.

3 Servir el curry sobre una cama de arroz.

Porciones 4

Nota: Para reducir la ingesta de grasa retira toda la grasa visible de la carne, así tendrás una porción magra y con muchos nutrientes esenciales.

Guisado de cordero con mandarina

Preparación 20 mins **Cocción** 40 mins aproximadamente **Calorías** 177 **Grasa** 6.85 g

2 cucharaditas de mantequilla

1 cebolla mediana, picada

750g de carne magra de cordero, en cubos

Ralladura y jugo de 2 naranjas

1 taza de caldo de pollo

1 pimiento rojo, picado

3 cucharadas de maicena

½ cucharadita de agua

2 cucharaditas de salsa de soya

1 cucharada de jerez dulce

300g de gajos de mandarina de lata, colados

250g de pasta de colores

1 Precalentar un recipiente para dorar en el horno de microondas a intensidad alta durante 8 minutos. Retirar del horno y añadir la mantequilla, la cebolla y la carne de cordero, revolver para dorar la carne. Devolver al horno de microondas, cocer a intensidad alta durante 5 minutos, revolviendo después de cada minuto.

2 Mezclar el jugo de naranja, la ralladura y el caldo. Verter sobre la mezcla del cordero, tapar, cocer a intensidad alta durante 14 minutos. Añadir el pimiento, cocer durante 5 minutos más.

3 Mezclar el agua, la salsa de soya y el jerez, agregar la maicena y batir hasta disolver, añadir la mezcla a la carne. Cocer a intensidad alta durante 3 minutos para espesar. Agregar los gajos de mandarina, tapar y dejar reposar mientras se prepara la pasta.

4 Mientras la carne se cuece hervir agua en una cacerola, cocer la pasta siguiendo las instrucciones del paquete.

5 Servir el guisado de cordero con mandarina acompañado de los pasta.

Porciones 4

Bobotie (plato típico de la cocina sudafricana)

Preparación 10 mins más tiempo para remojar **Cocción** 1 hr **Calorías** 361 **Grasa** 6 g

2kg de pierna o chamorro de cordero, sin hueso

4 chabacanos deshidratados grandes, picados

½ taza de pasas, picadas

1 rebanada de pan blanco

¼ taza de leche

2 cucharadas de mantequilla o aceite

3 cebollas grandes, finamente picadas

2 cucharadas de curry de Madras (condimento picante y aromático de la cocina hindú), en polvo

1 cucharada de azúcar morena

Sal y pimienta negra recién molida

¼ taza de jugo de limón

3 huevos

¼ taza de almendras

4 hojas de limón o de laurel

¾ taza de leche, extra

1 Quitar la grasa de la carne, moler grueso la carne en un procesador de alimentos. Remojar en agua la fruta seca durante 30 minutos, colar y reservar. Remojar el pan en un cuarto de taza de leche.

2 En una sartén grande calentar la mantequilla o aceite, añadir la carne y dorar bien, revolviendo y deshaciendo los grumos con el dorso de una cuchara de madera. Retirar de la sartén y transferir a un tazón grande.

3 Añadir las cebollas y aceite extra a la sartén si es necesario, freír las cebollas hasta que estén suaves y aún no hayan tomado color. Agregar el curry en polvo, el azúcar, sal y pimienta, revolver durante 1 minuto. Añadir el jugo de limón y disolver los jugos de cocción. Dejar que suelte el hervor, verter el contenido de la sartén sobre la carne. Agregar el pan remojado, 1 huevo, los chabacanos, las pasas y las almendras. Amasar a mano para mezclar bien los ingredientes.

4 Comprimir la carne en un recipiente engrasado para horno y emparejar la superficie. Insertar las hojas de limón o de laurel debajo de la superficie de la carne.

5 Batir los dos huevos restantes con la leche extra, sazonar ligeramente, verter sobre la superficie de la carne. Hornear en el horno precalentado durante 40 minutos hasta que la superficie esté dorada y firme. Servir caliente con arroz hervido.

Porciones 6 a 8

Nota: es un delicioso platillo que mezcla los sabores de la India con los sudafricanos.

Temperatura del horno 160°C, 325°F

Curry con cordero

Preparación 15 mins **Cocción** 40 mins aproximadamente **Calorías** 160 **Grasa** 1.2 g

1 cucharada de aceite

1 cebolla mediana, rebanada

1 cucharada de curry en polvo
(condimento picante
de la cocina hindú)

500g de carne magra de cordero,
en cubos

1 taza de arroz de grano largo

200g de yogur natural

½ taza de agua

½ taza de pasas

1½ tazas de chícharos, congelados

1. En una cacerola grande hervir agua para el arroz.
2. En una sartén calentar el aceite, añadir la cebolla y cocer de 2 a 3 minutos a fuego medio. Incorporar el curry en polvo, aumentar el fuego y agregar el cordero. Cocinar la carne, revolviendo constantemente, de 3 a 4 minutos.
3. Añadir el arroz al agua hirviendo, cocer durante 9 minutos.
4. Añadir el yogur a la mezcla del cordero, verter el agua, agregar las pasas y cocer a fuego lento, sin tapar, de 15 a 20 minutos.
5. Agregar los chícharos al arroz, cocer durante 3 minutos y colar. Servir el cordero acompañado del arroz.

Porciones 4

Cordero korma

Preparación 10 mins **Cocción** 120 mins aproximadamente **Calorías** 615 **Grasa** 8.5 g

1 ½ kg de paleta de cordero

Sal y pimienta negra recién molida

2 cucharadas de ghi (o mantequilla semilíquida)

1 cebolla morada, finamente picada

1 diente de ajo, finamente picado

1 cucharada de pasta de curry (condimento picante de la cocina hindú)

¼ cucharadita de jengibre, molido

¼ cucharadita de cúrcuma (condimento parecido al azafrán y al jengibre)

⅛ cucharadita de pimienta de Cayena

2 cucharadas de harina común

1 ¼ tazas de caldo de pollo

¾ taza de pasas

½ taza de yogur

1 cucharada de jugo de limón

1 Separar la carne del hueso y cortarla en cubos de 4 cm. Sazonar con sal y pimienta.

2 En una cacerola grande de base gruesa calentar el ghi, añadir un tercio de la carne y dorar bien por todos lados. Retirar y dorar el resto en dos tandas. Retirar la carne de la cacerola.

3 Agregar la cebolla y el ajo, saltear hasta que estén translúcidos. Añadir la pasta de curry, las especias y la harina, cocer durante 1 minuto. Verter el caldo, agregar las pasas y la carne. Tapar y hervir a fuego lento durante 1 hora o hasta que el cordero esté muy suave, revolviendo ocasionalmente.

4 Añadir el yogur y el jugo de limón. Servir con arroz hervido y sambal.

Porciones 4-6

Nota: el sambal es un condimento elaborado con diferentes pimientos y chiles, es común en las cocinas de Indonesia, Malasia, Singapur y Sri Lanka.

Guisado de cordero con chabacanos

Preparación 15 mins **Cocción** 2 hrs 20 mins **Calorías** 335 **Grasa** 3.3 g

4 jitomates maduros, blanqueados, pelados

2 cucharadas de aceite

1 pimiento verde, sin semillas, finamente picado

1 cebolla grande, picada

2 cucharadas de menta fresca, picada

6 tazas de carne de cordero (pierna o paleta), cortada en cubos

²/₃ taza de chabacanos, deshidratados

Sal y pimienta negra recién molida

1 Cortar los jitomates por la mitad a lo ancho (a lo largo del "ecuador"), presionar suavemente para sacar las semillas y picar la pulpa.

2 En una sartén o cacerola de base gruesa con tapa calentar la mitad del aceite, añadir los jitomates, el pimiento, la cebolla y la menta, saltear durante 5 minutos. Retirar de la sartén.

3 Calentar el resto del aceite, añadir la carne y revolver rápidamente para dorar uniformemente. Devolver las verduras a la sartén, añadir los chabacanos y agua suficiente para casi cubrir la carne. Dejar que suelte el hervor, bajar el fuego y cocinar a fuego lento durante 1 hora.

4 Al terminar la hora de cocción sazonar con sal y pimienta. Verificar el líquido y agregar más agua si es necesario. Cocinar a fuego lento durante 1 hora más, hasta que la carne esté muy suave. Servir con arroz hervido.

Porciones 6

Curry de cordero con espinacas

Preparación 15 mins **Cocción** 1 hr **Calorías** 425 **Grasa** 20 g

2 cucharadas de aceite vegetal

2 cebollas, picadas

2 dientes de ajo, picados

2cm de jengibre fresco, finamente picado

1 ramita de canela

¼ cucharadita de clavos, molidos

3 vainas de cardamomo (semillas aromáticas de sabor cítrico y dulce)

4 tazas de carne de cordero, en cubos

1 cucharada de comino, molido

1 cucharada de cilantro, molido

4 cucharadas de yogur natural

2 cucharadas de pasta de tomate

1 taza de caldo de res

Sal y pimienta negra

3 tazas de espinacas frescas, finamente picadas

2 cucharadas de almendras, fileteadas, tostadas

1 En un recipiente resistente al fuego o en una cacerola grande de base gruesa calentar el aceite. Freír las cebollas, el ajo, el jengibre, la canela, los clavos y el cardamomo durante 5 minutos para suavizar la cebolla y el ajo y que las especias suelten el aroma.

2 Agregar la carne y freír durante 5 minutos, revolviendo, hasta que comience a tomar color. Añadir el comino y el cilantro, agregar el yogur, una cucharada a la vez y revolviendo bien después de cada adición.

3 Combinar la pasta de tomate y el caldo, verter la mezcla a la carne. Sazonar al gusto. Dejar que suelte el hervor, reducir el fuego, tapar y cocinar a fuego lento durante 30 minutos o hasta que la carne esté suave.

4 Incorporar las espinacas, tapar y cocinar a fuego lento durante
15 minutos más o hasta que la mezcla se haya reducido. Retirar la ramita de canela y las vainas de cardamomo, añadir las almendras. Servir con arroz.

Nota: este platillo tiene mucho sabor sin contener picante, de manera que es ideal para quienes no les gusta el curry picante. Puedes servirlo con arroz hervido o pilaf.

Guisado de cordero estilo georgiano

Preparación 20 mins **Cocción** 1 hr 15 mins aproximadamente **Calorías** 82 **Grasa** 2.3 g

3 cucharadas de aceite

700g de bisteces de pulpa de cordero

1 cebolla grande, picada

2 tazas de tomates de lata, pelados, colados

2kg de papas, peladas, cortadas en trozos de 2cm

Sal y pimienta negra recién molida

$\frac{1}{2}$ taza de agua

$\frac{1}{2}$ taza de cilantro fresco, hojas de menta, hojas de albahaca, hojas de perejil y hojas de eneldo frescas, picado grueso

$\frac{1}{2}$ cucharadita de pimienta de Cayena

4 dientes de ajo, machacados

1 Retirar el hueso de la carne, cortarla en trozos grandes.

2 En una cacerola grande añadir el aceite, cocer la carne a fuego lento, revolviendo frecuentemente, durante 10 minutos o hasta que cambie de color. Añadir la cebolla y cocer la mezcla a fuego moderadamente bajo hasta que la cebolla esté suave, revolviendo ocasionalmente. Agregar los tomates y desmenuzarlos con una cuchara de madera, las papas, una pizca de sal y pimienta, verter el agua. Cocinar a fuego lento, parcialmente tapada, durante 40 minutos o hasta que la carne y las papas estén tiernas, revolviendo ocasionalmente.

3 Agregar la mezcla de las hierbas y la pimienta, hervir a fuego lento durante 4 minutos más, revolviendo. Incorporar el ajo y retirar el guisado del fuego. Dejar reposar, tapada, durante 5 minutos, sazonar con sal y pimienta antes de servir.

Porciones 4

Guisado de cordero y cebada

Preparación 6 mins **Cocción** 1 hr 50 mins **Calorías** 160 **Grasa** 7 g

4 cucharadas de mantequilla

1 cebolla, rebanada

2 tallos de apio, rebanados

½ taza de champiñones, rebanados (opcional)

700g de chuletas de paleta de cordero

1 ½ tazas de perlas de cebada, lavadas, coladas (grano del cereal que ha sido pelado y pulido)

2 tazas de caldo de pollo, caliente

2 tazas de tomates de lata, pelados

Sal y pimienta fresca recién molida

Perejil picado

2 cucharadas de queso parmesano, rallado

1 En una cazuela resistente al fuego derretir la mantequilla. Saltear la cebolla, el apio y los champiñones (opcional) durante 5 minutos. Agregar las chuletas y saltear hasta que cambien de color. Añadir la cebada, revolver, agregar el caldo y los tomates junto con su jugo. Tapar y hornear a temperatura moderadamente baja de 1 a 1 ½ horas.

2 Verificar el líquido durante la cocción y añadir más caldo o agua si la cebada está seca. Sazonar al gusto con sal y pimienta. Espolvorear el perejil y el queso antes de servir.

Porciones 6

Temperatura del horno 180°C, 350°F

Guisados con res

La carne de res se ha preparado al horno, braseada, con curry, estofada y frita y se siguen ideando nuevas maneras de cocción para que los carnívoros redescubran uno de los alimentos básicos más consumido a nivel mundial. Hemos recopilado una nueva serie de recetas para que las disfrutes. Mezcla la carne de res con cebollas de cambray en nuestro delicioso estofado, hornéala con un toque de cerveza Guinness o cocínala a fuego lento para preparar un clásico curry indonesio. Te sorprenderá la cantidad de facetas que tiene esta maravillosa carne. Dejarás de seguir sirviendo simples platillos con carne y verduras porque la carne de res nunca había tenido tantos usos.

Curry de res estilo indonesio

Preparación 25 mins **Cocción** 3 hrs 15 mins **Calorías** 462 **Grasa** 38 g

2 tallos de té limón

4 cucharadas de coco deshidratado

2 cebollas, picadas

2 dientes de ajo, picados

5cm de jengibre, picado

1 chile rojo, sin semillas, picado,
1 chile rojo extra, sin semillas,
rebanado, para decorar

2 cucharadas de aceite vegetal

700g de bisteces de lomo de res,
cortados en cubos de 2cm

1 cucharadita de cúrcuma
(condimento parecido al
azafrán y al jengibre)

1½ tazas de leche de coco, de lata

1 cucharadita de azúcar

Sal

1 Quitar las capas exteriores del té limón, picar finamente las partes blancas y desechar las partes fibrosas. Calentar una cacerola grande, añadir el coco y asar durante 5 minutos o hasta que esté dorado, revolviendo frecuentemente. En un procesador de alimentos o en un mortero rallar finamente el coco.

2 Licuar o rallar el té limón, las cebollas, el ajo, el jengibre y el chile hasta obtener una pasta. En una sartén calentar el aceite y freír la pasta durante 5 minutos para liberar los sabores, revolviendo con frecuencia. Añadir la carne, revolver para cubrir y freír de 3 a 4 minutos, hasta que esté sellada.

3 Añadir el coco rallado, la cúrcuma, la leche de coco, el azúcar y sal al gusto, mezclar bien. Dejar que suelte el hervor, revolviendo, reducir el fuego. Hervir a fuego lento, sin tapar, durante 3 horas, revolviendo de vez en cuando, hasta que la salsa se reduzca y forme un gravy espeso. Decorar con el chile rebanado y acompañar con arroz.

Porciones 4

Nota: Éste es un clásico platillo indonesio que también puede prepararse con cordero o venado. La cocción lenta de la salsa de coco hace que la salsa esté sumamente suave. Servir con arroz.

Carne de res braseada en vino tinto

Preparación 20 mins **Cocción** 2 hrs 15 mins **Calorías** 487 **Grasa** 28 g

3 cucharadas de aceite de oliva

700g de carne de res para guisar, sin grasa, cortada en trozos de 6cm

6 chalotes, finamente picados (parecido al ajo, pero con dientes más grandes)

2 dientes de ajo, machacados

2 tallos de apio, rebanados grueso

1 $\frac{1}{2}$ tazas de champiñones, rebanados grueso

$\frac{1}{2}$ cucharadita de pimienta inglesa

$\frac{1}{2}$ botella de vino tinto robusto

1 taza de puré de tomate

2 ramitas de tomillo, fresco

Sal y pimienta negra

1 Precalentar el horno. En un recipiente resistente al fuego o en una cacerola grande calentar el aceite, freír la carne a fuego alto, revolviendo, de 5 a 10 minutos hasta que tome color café. Retirar de la cacerola, añadir los chalotes, el ajo y el apio. Freír, revolviendo de 3 a 4 minutos, hasta que estén ligeramente dorados.

2 Añadir los champiñones, cocinar durante 1 minuto o hasta que estén suaves. Incorporar la pimienta inglesa, el vino, el puré de tomate, 1 ramita de tomillo y dejar hervir a fuego lento.

3 Tapar y cocer en el horno a fuego lento o en la hornilla de 1 $\frac{1}{2}$ a 2 horas, hasta que la carne esté suave. Sazonar de nuevo si es necesario, servir decorado con el resto del tomillo.

Porciones 4

Nota: este platillo español es excelente para un día frío si se sirve con alioli (salsa de ajos y aceite). Puedes usar cualquier clase de champiñón, pero los champiñones pequeños combinan especialmente bien.

Temperatura del horno 180°C, 350°F

Carne de res estilo ossobuco

Preparación 20 mins **Cocción** 2 hrs aproximadamente **Calorías** 85 **Grasa** 1 g

1.5kg de carne magra de res, en cubos

1 cucharada de aceite

2 cebollas, picadas

1 cucharada de ajo, machacado

1 cucharada de ralladura de limón

6 zanahorias medianas, rebanadas

820g de tomates de lata

½ taza de vino blanco

Pimienta

Sal al gusto

2 cucharadas de perejil, picado

1 cucharada de ralladura de limón, extra

1 cucharadita de ajo machacado, extra

1 En una sartén grande y profunda dorar la carne en pedazos pequeños.

2 Añadir las cebollas, el ajo, la ralladura de limón y las zanahorias. Cocer hasta que las cebollas estén bien doradas.

3 Añadir los tomates, el vino y la pimienta al gusto. Tapar y hervir a fuego lento de 1 ½ a 2 horas, o hasta que la carne esté suave. Revolver ocasionalmente.

4 Disolver la maicena en un poco de agua fría. Incorporar a la cacerola para que espese. Verificar la sazón.

5 Mezclar el perejil, la ralladura extra de limón y el ajo extra. Espolvorear sobre el guisado.

Porciones 8

Guisado de res con chalotes

Preparación 20 mins **Cocción** 3 hrs 10 mins **Calorías** 471 **Grasa** 21 g

6 chalotes, en cuartos

6 dientes grandes de ajo, en cuartos

3 zanahorias grandes, rebanadas

4 tallos de apio, rebanados

4 cucharadas de aceite de oliva

1¼ kg de carne magra de res para guisar, cortada en cubos de 5cm

Unas cuantas ramitas de tomillo, 1 hoja de laurel, 1 ramita de romero y 1 tira de ralladura de limón atadas con un cordel

2 tazas de vino tinto con cuerpo

1 taza de caldo de res

3 cucharadas de perlas de cebada (grano del cereal que ha sido pelado y pulido)

10 granos de pimienta negra, machacados

Sal y pimienta negra

1 Precalentar el horno. En una charola para horno colocar los chalotes, el ajo, las zanahorias y el apio, verter encima 2 cucharadas del aceite y mezclar bien. Cocer durante 15 minutos, volteando frecuentemente, hasta que las verduras estén doradas.

2 En una cacerola grande de base gruesa calentar el resto del aceite. Añadir un tercio de la carne y freír de 5 a 8 minutos, hasta que esté uniformemente dorada. Retirar de la cacerola y reservar, freír el resto de la carne en dos tandas. Devolver toda la carne a la cacerola. Añadir las verduras, el atado de hierbas, el vino, el caldo, la cebada y los granos de pimienta. Sazonar y dejar que suelte el hervor.

3 Reducir el fuego y hervir a fuego lento, parcialmente tapada, de 2 a 2½ horas, hasta que la carne esté suave. Verificar de vez en cuando durante la cocción y añadir agua o vino si el guisado comienza a secarse. Retirar el atado de hierbas antes de servir.

Porciones 6

Nota: en días muy fríos sólo se antoja un guisado calientito. Acompáñalo con un puré de papas con perejil fresco.

Temperatura del horno 240°C, 475°F

Carbonade de res

Preparación 15 mins   **Cocción** 2 hrs 30 mins   **Calorías** 506   **Grasa** 20 g

2-3 cucharadas de aceite vegetal

1kg de carne de cordero para guisado o estofado, cortada en cubos de 2cm

1 cebolla grande, finamente rebanada

1 cucharada de harina común

2 cucharadas de azúcar morena

1 lata de cerveza Guinness

2 tazas de caldo de res

1 cucharada de pasta de tomate

1 bouquet garni (ramillete de hierbas aromáticas)

Sal y pimienta negra

Perejil fresco para decorar

1 Precalentar el horno. En un recipiente resistente al fuego calentar 2 cucharadas del aceite. Añadir un tercio de la carne y freír a fuego alto de 6 a 7 minutos, volteando para dorar uniformemente. Retirar del recipiente y freír el resto en dos tandas, añadir más aceite si es necesario.

2 Reducir el fuego, añadir la cebolla y freír durante 5 minutos, revolviendo. Esparcir la harina y el azúcar, revolver de 1 a 2 minutos, verter la cerveza y el caldo, dejar que suelte el hervor, revolviendo. Devolver la carne al recipiente, agregar la pasta de tomate y el bouquet garni. Sazonar, revolver bien y tapar.

3 Transferir el recipiente al horno y cocer de 1 ½ a 2 horas, hasta que la carne esté suave y bien cocida. Revolver de 2 a 3 veces durante la cocción, añadir un poco de agua si es necesario. Retirar el bouquet garni y verificar la sazón. Decorar con el perejil.

Porciones 4

Nota: a todo el mundo le gusta un guisado preparado a la antigua, y más si se trata de un guisado de res. Sírvelo con una gran cantidad de puré de papas cremoso para que se mezcle con la deliciosa salsa.

Temperatura del horno 160°C, 325°F

Pastelitos de res con riñones

Preparación 20 mins **Cocción** 2 hrs 50 mins **Calorías** 650 **Grasa** 35 g

2-4 cucharadas de aceite de cacahuate

1 cebolla, finamente picada

500g de carne de res para guisar, sin grasa, en cubos

350g de riñones de cerdo, en mitades, sin centro, en trozos de 1cm

3 cucharadas de harina común

1 cucharada de pasta de tomate

2 cucharaditas de salsa inglesa

1 1/2 tazas de caldo de res

Ralladura fina de 1 limón

2 cucharadas de perejil fresco, finamente picado, y extra para decorar

1 cucharadita de hierbas secas mixtas

Sal y pimienta negra

1/2 taza de champiñones baby

1 paquete de pasta hojaldrada, aplanada

Romero fresco para decorar

1 Precalentar el horno. En un recipiente grande resistente al fuego calentar 2 cucharadas del aceite, añadir la cebolla y freír durante 5 minutos. Añadir la mitad de la carne y los riñones, freír a fuego alto, revolviendo, durante 6 minutos o hasta que estén dorados. Mantener calientes. Freír el resto de la carne, añadir más aceite si es necesario.

2 Devolver la carne al recipiente, añadir la harina y revolver durante 2 minutos. Agregar la pasta de tomate, la salsa inglesa, el caldo, la ralladura de limón, el perejil, las hierbas, sal y pimienta. Dejar que suelte el hervor, revolviendo, tapar.

3 Transferir al horno. Añadir los champiñones después de 1 1/2 horas de cocción y un poco de agua si es necesario. Cocer durante 35 minutos más. Mientras, extender la pasta hojaldrada y cortar 4 círculos de 11 cm de diámetro. Colocarlos sobre papel para hornear.

4 Sacar el guisado del horno. Aumentar la temperatura a 200°C. Colocar el guisado a fuego muy lento. Mantener tapado y revolver ocasionalmente. Hornear la pasta durante 20 minutos o hasta que esté dorada. Colocar la mezcla de la carne y riñones sobre cada círculo. Decorar con el perejil picado y el romero, servir.

Porciones 4

Nota: estos pastelitos contienen el sabor de un pie de carne con riñones, pero son más ligeros y más fáciles de preparar.

Temperatura del horno 160°C, 325°F

Tripas con tomate

Preparación 20 mins **Cocción** 2 hrs aproximadamente **Calorías** 88 **Grasa** 1.5 g

1 kg de tripas, limpias

1 cebolla grande, picada

2 dientes de ajo, finamente picados

3 cucharadas de aceite de oliva

3 cucharadas de perejil de hoja lisa, picado

½ cucharadita de orégano, molido

½ taza de vino blanco

425g de tomates de lata, pelados, picados

Sal y pimienta

1 Enjuagar, blanquear y colar las tripas.

2 Cortar en tiras de 8 cm de largo y 5 mm de ancho.

3 En una sartén profunda freír la cebolla y el ajo en aceite hasta que la cebolla comience a tomar color. Añadir las tripas junto con el perejil, el orégano y el vino, cocer durante 2 minutos, agregar los tomates picados y el líquido. Sazonar con sal y pimienta al gusto.

4 Hervir a fuego lento de 1½ a 2 horas, añadir un poco de agua durante la cocción si es necesario. Servir con risotto (arroz estilo italiano).

Porciones 4

Guisado mediterráneo de res y aceitunas

Preparación 30 mins + 4 hrs para marinar **Cocción** 3 hrs 15 mins **Calorías** 474 **Grasa** 16 g

Ralladura y jugo de 1 limón

1⅓ kg de carne magra de res para guisar, cortada en trozos de 5cm

2 cucharadas de aceite de oliva

3 cucharadas de aceitunas negras, sin hueso, coladas, más 15 aceitunas con hueso para servir

4 tomates, en cuartos, sin semillas

Sal y pimienta negra

Perejil fresco, picado, para decorar

Marinada

2 cebollas medianas, picadas

2 dientes de ajo, machacados

3 hojas de laurel

3 ramitas de tomillo fresco o 2 cucharaditas de tomillo seco

1 cucharadita de orégano seco

2 cucharadas de perejil fresco, picado

1 bulbo pequeño de hinojo, picado

2 zanahorias, rebanadas

8 granos de pimienta negra

2 cucharadas de aceite de oliva

1 botella de vino blanco seco

1 Llenar un recipiente de vidrio o de cerámica con agua fría y añadir el jugo de limón. Enjuagar la carne en el agua con limón y colar bien. Mezclar todos los ingredientes de la marinada, añadir la carne y revolver para cubrir. Tapar y refrigerar durante 4 horas o durante toda la noche.

2 Precalentar el horno. Sacar la carne de la marinada y colar bien, reservar la marinada. En un recipiente grande para horno colocar 1 cucharada del aceite y moverlo hasta cubrirlo bien. Añadir la mitad de la carne y freír de 6 a 7 minutos hasta que esté dorada, voltear una vez. Reservar y freír el resto de la carne. Añadir la marinada y las aceitunas sin hueso, revolver bien.

3 Cubrir el recipiente con una capa doble de papel aluminio y tapar. Cocer durante 2 horas. Retirar la tapa y el papel. Con el dorso de una cuchara de madera presionar la carne y colocar encima los tomates. Sazonar ligeramente y bañar con el resto del aceite. Cubrir el recipiente con el papel y colocar la tapa, cocer durante 1 hora o hasta que la carne esté suave.

4 Quitar la grasa de la superficie. Sazonar si es necesario, espolvorear la ralladura de limón, el perejil y las aceitunas con hueso. Servir en el recipiente.

Porciones 6

Nota: la cocción lenta hace que la carne sea extremadamente suave. El sabor de las aceitunas negras y del hinojo fresco se combinan con la salsa de vino y tomate.

Temperatura del horno 160°C, 325°F

Guisado de res con ciruelas y chabacanos

Preparación 20 mins **Cocción** 2 hrs 30 mins **Calorías** 449 **Grasa** 7 g

1kg de filetes de res, corte grueso

2 cucharadas de mantequilla o aceite

3 zanahorias grandes, finamente rebanadas

3 cebollas medianas, finamente rebanadas

2 cucharadas de harina común

2 dientes de ajo, machacados

1 cucharadita de eneldo fresco, picado o
$\frac{1}{2}$ cucharadita de eneldo seco

$\frac{1}{2}$ cucharadita de nuez moscada, rallada o
molida

Sal y pimienta negra recién molida

1 $\frac{1}{2}$ tazas de caldo de res espeso

$\frac{1}{2}$ taza de chabacanos deshidratados

$\frac{1}{2}$ taza de duraznos deshidratados, en
cuartos

$\frac{1}{2}$ taza de ciruelas pasa, sin hueso

1 cucharadita de menta, picada

1 cucharada de cilantro, picado

$\frac{1}{2}$ taza de nueces de castilla, picadas

$\frac{1}{4}$ taza de jugo de naranja

1 Quitar la grasa de la carne y cortar en cubos grandes. Calentar una cacerola grande de base gruesa, añadir la mantequilla o aceite y $\frac{1}{3}$ de la carne. Revolver a fuego alto para dorar uniformemente. Retirar y dorar el resto en dos tandas. Añadir las zanahorias y las cebollas, saltear un poco.

2 Devolver la carne a la cacerola y espolvorear la harina para cubrir la superficie. Añadir el ajo, el eneldo, la nuez moscada, la sal, la pimienta y el caldo. Dejar que suelte el hervor a fuego alto, revolver para mezclar los jugos. Tapar, reducir a fuego lento y cocinar durante 1 $\frac{1}{2}$ horas.

3 Añadir las frutas deshidratadas, las ciruelas, la menta y el cilantro. Tapar y hervir a fuego lento durante 30 minutos más, o hasta que la carne esté suave. Transferir a un platón caliente para servir. Esparcir las nueces y bañar con el jugo de naranja.

Porciones 6

Pay de filete con cerveza

Preparación 30 mins **Cocción** 3 hrs **Calorías** 628 **Grasa** 32 g

3 cucharadas de harina común

1 cucharadita de mostaza inglesa, en polvo

Sal y pimienta negra

1kg de carne de res para guisar, sin grasa, en cubos

4 cucharadas de aceite vegetal

2 cebollas, rebanadas

2 dientes de ajo, finamente picados

2 tazas de cerveza Guinness

2 cucharadas de salsa inglesa

2 hojas de laurel

1 cucharada de tomillo fresco, picado

1 cucharadita de azúcar morena

1 cucharada de champiñones pequeños

Costra del pay

2 tazas de harina común

$\frac{1}{2}$ cucharadita de polvo para hornear

Sal

2 cucharadas de tomillo fresco, picado

Pimienta negra recién molida

$\frac{1}{2}$ taza de manteca

1 Precalentar el horno. Mezclar la harina, la mostaza y la pimienta, revolcar la carne en la mezcla. En una sartén de base gruesa calentar 2 cucharadas del aceite. Freír un tercio de la carne de 3 a 4 minutos, hasta que esté dorada. Transferir a un recipiente resistente al fuego, freír el resto de la carne en dos tandas.

2 Añadir una cucharada del aceite a la sartén, freír las cebollas durante 5 minutos. Agregar el ajo y freír durante 2 minutos. Verter la cerveza, la salsa inglesa, añadir las hojas de laurel, el tomillo y el azúcar, hervir a fuego lento de 2 a 3 minutos. Verter sobre la carne, tapar y cocer en el horno durante 2 horas. Sacar del horno, aumentar la temperatura del horno a 190°C. Freír los champiñones en el resto del aceite. Agregar a la carne y transferir a un recipiente para pie de 15 x 20 cm.

3 Para hacer la costra del pay, cernir la harina, el polvo para hornear y media cucharadita de la sal, después añadir el tomillo y la pimienta al gusto. Incorporar la manteca y mezclar con 10 a 12 cucharadas de agua para formar una masa suave. Extender la masa, humedecer las orillas del recipiente y cubrirlo con la masa. Recortar las orillas, hacer un pequeño corte en el centro. Cocer de 30 a 40 minutos, hasta que esté dorada.

Porciones 6

Nota: la cerveza Guinness añade un toque cremoso a este pie de res cocido lentamente. Servir con puré de papas y chícharos o col.

Temperatura del horno 160°C, 325°F

Pay de res con champiñones

Preparación 35 mins + 1 hr para refrigerar **Cocción** 2 hrs 30 mins **Calorías** 1294 **Grasa** 37 g

Pasta hojaldrada

6 cucharadas de mantequilla, suavizada

6 cucharadas de manteca, suavizada

2 tazas de harina común

½ taza de agua fría

Relleno de res y champiñones

1kg de carne magra de res, cortada en cubos de 2cm

¼ taza de harina común, sazonada con sal y pimienta

6 cucharadas de mantequilla

3 cucharadas de aceite de oliva

2 cebollas, picadas

2 dientes de ajo, machacados

2 tazas de champiñones pequeños, rebanados

½ taza de vino tinto

½ taza de caldo de res

1 hoja de laurel

2 cucharadas de perejil fresco, finamente picado

1 cucharada de salsa inglesa

Pimienta negra recién molida

1 cucharada de maicena disuelta en 2 cucharadas de agua

1 huevo, ligeramente batido

1 Para hacer el relleno, revolcar la carne en la harina para cubrirla. Sacudir para quitar el exceso de harina. En una cacerola grande de base gruesa derretir la mantequilla y el aceite, freír la carne en tandas de 3 a 4 minutos, o hasta que esté uniformemente dorada. Retirar la carne de la cacerola y reservar.

2 Añadir las cebollas y el ajo a la cacerola, cocer a fuego medio de 3 a 4 minutos, o hasta que las cebollas se suavicen. Incorporar los champiñones y cocer durante 2 minutos más. Mezclar el vino y el caldo, verter a la cacerola y cocinar de 4 a 5 minutos, revolviendo constantemente para despegar los sedimentos del fondo de la cacerola. Dejar que suelte el hervor, reducir el fuego. Regresar la carne a la cacerola junto con la hoja de laurel, el perejil, la salsa inglesa y la pimienta al gusto. Tapar y hervir a fuego lento durante 1 ½ horas o hasta que la carne esté suave. Añadir la mezcla de la maicena y cocer, revolviendo, hasta que la mezcla espese. Retirar la cacerola del fuego y reservar para enfriar.

3 Para hacer la pasta, en un tazón grande colocar la mantequilla y la manteca, mezclar bien. Tapar y refrigerar hasta que la mezcla esté firme. En un tazón grande colocar la harina. Cortar en pedacitos un cuarto de la mezcla de la mantequilla e incorporarla con los dedos al harina hasta que forme migajas de pan. Añadir agua suficiente para obtener una masa firme.

4 Colocar la pasta sobre una superficie enharinada y amasar ligeramente. Extenderla para formar un rectángulo de 15 x 25 cm. Cortar otro cuarto de la mezcla de la mantequilla, cortarla en trozos más pequeños y colocarlos sobre los dos primeros tercios del rectángulo. Doblar el tercio inferior de la masa hacia el centro y doblar el tercio superior encima para obtener tres capas iguales. Colocar la masa de manera horizontal, aplanar de nuevo para obtener otro rectángulo como el anterior. Repetir los dobleces y aplanar una vez más, añadiendo más de la mezcla de la mantequilla cada vez. Cubrir la masa y refrigerar durante 1 hora.

5 Transferir el relleno frío a un recipiente ovalado para pay. Sobre una superficie ligeramente enharinada extender la masa con un excedente de 3 cm en relación al recipiente. Cortar una tira de 1 cm de masa. Barnizar con agua la tira de masa. Colocar la masa sobre el relleno y presionar ligeramente para sellar las orillas. Recortar los excedentes de masa y formar una figura para decorar. Barnizar con el huevo y hornear durante 30 minutos o hasta que la masa esté dorada y crujiente.

Porciones 4

Nota: la pasta hojaldrada hecha en casa requiere más tiempo de preparación, pero el resultado vale la pena.

Temperatura del horno 190°C, 375°F

Daube de res

Preparación 10 mins **Cocción** 2 hr 50 mins **Calorías** 637 **Grasa** 8 g

1kg de bisteces de diezmillo, sin grasa, cortados en cubos

½ taza de harina común, sazonada con sal y pimienta

¼ taza de aceite de oliva

1 cebolla, picada

1 diente de ajo, machacado

1 puerro, rebanado

2 tazas de caldo de res

1 taza de vino tinto

1 cucharadita de hierbas mixtas, secas

Pimienta negra recién molida, al gusto

1 hoja de laurel

Tiras de ralladura de naranja (opcional)

2 calabacitas, rebanadas

1 camote dulce grande, picado

1 chirivía, rebanada (raíz parecida a la zanahoria)

1 Precalentar el horno. Revolcar la carne en la harina, sacudir para quitar el exceso y reservar. En una sartén grande calentar la mitad del aceite a fuego medio, cocer la carne en tandas de 3 a 4 minutos o hasta que esté dorada. Transferir a una cazuela.

2 En la misma sartén calentar el resto del aceite, añadir la cebolla y el ajo, cocer a fuego medio de 4 a 5 minutos, revolviendo. Agregar el puerro y cocer de 2 a 3 minutos más. Transferir las verduras a la cazuela.

3 Verter el caldo y el vino a la sartén junto con las hierbas y la pimienta, dejar que suelte el hervor. Reducir el fuego y hervir a fuego lento hasta que el líquido se reduzca a la mitad. Añadir la mezcla del vino, la hoja de laurel y la ralladura de naranja a la cazuela y hornear de 1½ a 2 horas, o hasta que la carne esté suave.

4 Agregar las calabacitas, el camote y la chirivía, hornear durante 30 minutos más o hasta que las verduras estén suaves.

Porciones 4

Temperatura del horno 210°C, 420°F

Guisado de venado con frijoles y chili

Preparación 20 mins **Cocción** 2 hrs 30 mins **Calorías** 427 **Grasa** 10 g

2 cucharadas de harina común

Sal y pimienta negra

700g de paleta de venado, en cubos

2 cucharadas de aceite de cacahuate

1 cebolla morada, finamente picada

2 dientes de ajo, machacados

2 chiles verdes frescos, sin semillas, finamente picados

1 cucharada de chili en polvo

2 tazas de tomates de lata, picados

2 tazas de caldo de res

2 cucharadas de pasta de tomate

2 cucharaditas de azúcar morena

2 tazas de frijoles rojos de lata, colados, enjuagados

1 Precalentar el horno. En un plato mezclar la harina con sal y pimienta. Revolcar la carne en la mezcla para cubrirla. En un recipiente grande resistente al fuego calentar el aceite, freír la carne en tandas, a fuego medio, durante 5 minutos o hasta que esté uniformemente dorada. Retirar del recipiente y reservar.

2 Bajar el fuego y añadir las cebollas, colocar un poco más de aceite si es necesario. Revolver durante 5 minutos o hasta que esté ligeramente dorada, añadir el ajo, los chiles y el chili en polvo, revolver durante 1 minuto.

3 Agregar los tomates, el caldo, la pasta de tomate y el azúcar. Dejar que suelte el hervor, revolviendo. Añadir la carne, revolver bien y tapar bien. Transferir el recipiente al horno, cocer durante 2 horas o hasta que la carne esté suave, revolver dos veces y añadir los frijoles 30 minutos antes de terminar la cocción.

Porciones 4

Nota: en este guisado se mezclan los tiernos trozos de la carne de venado con una mezcla llena de sabor de los frijoles y los tomates. Sírvelo con arroz o pan crujiente y una ensalada.

Temperatura del horno 150°C, 300°F

Carne de res desmenuzada con especias

Preparación 10 mins **Cocción** 2hrs aproximadamente **Calorías** 236 **Grasa** 3 g

700g de diezmillo o pecho de res, sin grasa, sin hueso

1 cebolla, en mitades

2 dientes de ajo, pelados

1 clavo

2 cucharadas de semillas de comino

8 tazas de agua

Salsa de chiles verdes con tomate

2 cucharadas de aceite vegetal

1 cebolla, picada

2 chiles verdes picantes, picados

2 tazas de tomates de lata, sin colar, picados

1 En una cacerola a fuego medio colocar la carne, la cebolla, el ajo, el clavo, las semillas de comino y el agua, dejar que suelte el hervor a fuego lento. Cocinar a fuego lento, limpiando la superficie de vez en cuando, durante 1 1/2 horas hasta que la carne esté muy suave. Retirar la cacerola del fuego y dejar enfriar la carne en el líquido. Retirar la grasa de la superficie a medida que se forme. Sacar la carne del líquido y desmenuzarla con un tenedor. Reservar el líquido de cocción para hacer la salsa.

2 Para hacer la salsa, en una sartén calentar el aceite a fuego alto, añadir la cebolla y los chiles, freír revolviendo durante 3 minutos o hasta que estén suaves. Agregar los tomates y 1 taza del líquido de cocción reservado, dejar que suelte el hervor a fuego lento y cocinar a fuego lento durante 10 minutos o hasta que la mezcla se reduzca y espese.

3 Añadir la carne desmenuzada a la salsa y hervir a fuego lento durante 5 minutos o hasta que esté bien caliente. Servir con pasta de trigo integral.

Porciones 6

Nota: la pasta de trigo integral y las verduras frescas tienen un alto contenido de fibra. Como parte de una dieta balanceada, la fibra soluble ayuda a disminuir los niveles de colesterol. Se adhiere al colesterol y facilita que el cuerpo lo elimine como desecho.

44

Guisado belga de res

Preparación 10 mins **Cocción** 2 hrs 40 mins **Calorías** 329 **Grasa** 5 g

700g de bisteces de diezmillo de res, en cubos

2 cucharadas de aceite

2 cebollas, rebanadas

1 cucharada de harina

1 taza de cerveza

1 cucharada de caldo de res, caliente

1 diente de ajo, machacado

1 bouquet garni (ramillete de hierbas aromáticas)

Sal y pimienta negra recién molida

½ cucharadita de nuez moscada

½ cucharadita de azúcar

1 cucharadita de vinagre

8 rebanadas de pan baguete, de 2cm de grosor

Mostaza francesa

1 Precalentar el horno. En un recipiente resistente al fuego dorar la carne en la grasa caliente, reducir el fuego y añadir las cebollas. Cocer durante 2 minutos. Espolvorear la harina, verter la cerveza y el caldo, revolver hasta que hierva. Agregar el ajo, el bouquet garni, la sal y la pimienta, la nuez moscada, el azúcar y el vinagre. Tapar y cocer en el horno a intensidad moderadamente baja durante 2 horas o hasta que la carne esté suave.

2 Sacar el recipiente del horno y retirar el bouquet garni. Con una cuchara quitar la grasa de la superficie y untarla en las rebanadas de pan, colocar una capa gruesa de la mostaza sobre el pan. Acomodar el pan en la superficie del recipiente y sumergirlo para que absorba el gravy (debe salir de nuevo a la superficie). Cocer sin tapar durante 30 minutos más o hasta que el pan forme una costra dorada.

Porciones 4–6

Temperatura del horno 160°C, 325°F

Guisados con carne blanca

Pollo, pavo, cerdo, conejo y ternera. La carne blanca tiene muchas formas y tamaños, por lo que ofrece una gran cantidad de posibilidades cuando la cocinas. Por ejemplo, la carne de cerdo dorada a fuego lento combina perfectamente con el sabor de las manzanas, mientras que el pollo al curry es un acompañante excelente para el arroz jazmín. La adición de diferentes especias y sazonadores hace que la ecuación sea todavía más interesante. Te deleitarás en estas páginas a medida que te inspiren creaciones originales para la siguiente reunión familiar o cena especial. Todo está en tus manos…

Pollo normando

Preparación 20 mins **Cocción** 1 hr aproximadamente **Calorías** 127 **Grasa** 7 g

1 kg de muslos de pollo
¼ taza de harina común
¼ cucharadita de nuez moscada
Sal y pimienta negra
1 ½ cucharadas de aceite
3 manzanas verdes
1 cebolla, finamente picada
2 cucharadas de vinagre de sidra
1 taza de sidra de manzana
½ taza de crema agria
2 cucharaditas de maicena

1 Precalentar el horno. Lavar los muslos, quitar la piel y secar con papel absorbente. Mezclar la harina, la nuez moscada, sal y pimienta. Revolcar las piezas de pollo en la harina y sacudir para quitar el exceso. Calentar el aceite en una sartén, dorar los muslos por ambos lados. Transferir el pollo a un recipiente resistente al fuego.

2 Rebanar las manzanas en aros y retirar el centro. Freír las manzanas por ambos lados en la sartén, colocar las rebanadas sobre el pollo. Freír la cebolla y colocarla en el recipiente. Colar el aceite de la sartén, añadir el vinagre de sidra y la sidra de manzana, calentar para mezclar con el líquido de la sartén y verter sobre el pollo. Tapar el recipiente y cocer en el horno durante 40 minutos.

3 Colocar el pollo y las manzanas en un platón para servir, tapar y mantener caliente. Quitar la grasa del jugo de cocción restante y verter el jugo a una cacerola. Agregar la crema agria y la maicena disuelta, revolver a fuego lento hasta que la salsa espese, verter la salsa sobre el pollo.

Porciones 6

Temperatura del horno 200°C, 400°F

Pollo cacciatore

Preparación 15 mins **Cocción** 1 hr aproximadamente **Calorías** 130 **Grasa** 1.5 g

1kg de pechugas de pollo

4 cucharadas de harina sazonada

4 cucharadas de aceite de oliva

1 pimiento verde, picado

1 cebolla mediana, finamente picada

2 dientes de ajo

425g de tomates de lata

1 cucharada de pasta de tomate

1 hoja de laurel

1 cucharadita de orégano

1 cucharadita de azúcar

¼ taza de vino blanco seco

¼ taza de vino Marsala

10 aceitunas negras

2 cucharadas de perejil, picado

1 Cortar cada pechuga en 2 o 3 piezas a lo largo del hueso. Revolcar el pollo en la harina sazonada (harina con sal y pimienta).

2 En una cacerola grande de base gruesa calentar el aceite, freír el pollo en tandas hasta que esté uniformemente dorado. Transferir a un platón. Colar el aceite de la cacerola y dejar 1 cucharada aproximadamente.

3 Añadir el pimiento, la cebolla y el ajo, saltear durante 3 minutos. Picar los tomates, añadir los tomates y su jugo; agregar la pasta de tomate, la hoja de laurel, el orégano y el azúcar. Dejar que suelte el hervor, cocinar a fuego lento durante 5 minutos. Devolver el pollo a la cacerola, verter el vino blanco y el Marsala, tapar y hervir a fuego lento durante 35 minutos.

4 Transferir a un platón para servir, esparcir encima las aceitunas negras y el perejil, servir.

Porciones 4–6

Nota: el Marsala es un vino dulce que se produce en Sicilia.

Curry de cerdo Cachemira

Preparación 10 mins + 15 mins para reposar **Cocción** 2 hrs aproximadamente **Calorías** 130
Grasa 3 g

750g de carne magra de cerdo, en cubos

1 cucharadita de azúcar

1 cucharadita de cúrcuma, molida (condimento parecido al azafrán y al jengibre)

1 cucharadita de salsa de soya

1 ramita de té limón

1 cebolla grande

1 cucharada de aceite poliinsaturado

4 cucharadas de ajo, recién picado

1 cucharada de jengibre, recién picado

2 cucharaditas de chiles frescos, recién picados

1 taza de agua

425g de tomates de lata

2 cucharaditas de salsa de pescado (opcional)

1. En un tazón mezclar la carne, el azúcar y la cúrcuma. Añadir la salsa de soya y dejar reposar durante 15 minutos.

2. Rebanar finamente 7 cm del tallo del té limón. Cortar la cebolla en trozos grandes.

3. Calentar el aceite, saltear ligeramente el té limón, la cebolla, el ajo, el jengibre y el chile, añadir la carne y mover constantemente para dorarla.

4. Verter el agua y agregar los tomates, tapar y hervir a fuego lento de 1 ½ a 2 horas o hasta que la carne esté suave. Revolver ocasionalmente.

5. Añadir la salsa de pescado y servir con arroz.

Porciones 4–6

Curry de pollo con arroz jazmín

Preparación 15 mins **Cocción** 40 mins **Calorías** 597 **Grasa** 14 g

2 tazas de leche de coco, reducida en grasa

1 taza de caldo de pollo, reducido en sales

2-3 cucharadas de pasta de curry verde (curry con hojas de lima y albahaca)

3 hojas de lima kafir (o combava), finamente ralladas (hojas de sabor cítrico y floral)

1 ½ tazas de calabaza, pelada, picada

4 filetes de pechuga de pollo, sin piel, cortados en cubos pequeños

Brotes de bambú pequeños, de lata, colados

1 taza de chícharos chinos, picados

1 taza de brócoli, cortado en racimos

1 cucharada de salsa de pescado

1 cucharada de azúcar de palma, rallada

2 cucharadas de hojas de albahaca, troceadas

Arroz jazmín

1 ½ tazas de arroz jazmín

2 tallos de té limón, en mitades

1. En un wok o en una cacerola grande colocar la leche de coco, el caldo, la pasta de curry y las hojas de lima kafir, dejar que suelte el hervor. Cocer a fuego alto hasta que la salsa comience a espesar ligeramente. Añadir la calabaza y hervir a fuego lento durante 10 minutos o hasta que comience a suavizarse.

2. Añadir el pollo y los brotes de bambú, reducir el fuego y hervir a fuego lento durante 10 minutos o hasta que el pollo esté suave. Agregar los chícharos chinos, el brócoli, la salsa de pescado y el azúcar de palma, cocer sin tapar hasta que las verduras estén suaves.

3. Retirar del fuego e incorporar las hojas de albahaca.

4. Para hacer el arroz jazmín, en una cacerola colocar el arroz, el té limón y 4 tazas de agua, dejar que suelte el hervor y cocer a fuego alto hasta que el vapor forme agujeros en la superficie del arroz. Reducir a fuego lento, tapar y cocer durante 10 minutos o hasta que todo el líquido se absorba y el arroz esté suave. Transferir el arroz a tazones individuales, servir encima el curry y esparcir el resto de las hojas de albahaca.

Porciones 4

Pollo con chorizo estilo español

Preparación 15 mins **Cocción** 55 mins **Calorías** 443 **Grasa** 31 g

8 piezas de pollo unidas,
como muslos y piernas

2 cucharadas de aceite de oliva

1 cebolla, rebanada

2 dientes de ajo, machacados

1 pimiento rojo y uno verde,
sin semillas, rebanados

2 cucharadas de paprika o pimentón

3 cucharadas de jerez seco
o vermut seco

2 tazas de tomates de lata, picados

1 hoja de laurel

1 tira de ralladura de naranja,
cortada con un pelapapas

1 taza de chorizo, rebanado

1/3 taza de aceitunas negras, sin
hueso

Sal y pimienta negra

1 En una sartén grande de teflón colocar el pollo y freír, sin aceite, de 5 a 8 minutos hasta que esté dorado, volteando ocasionalmente. Retirar el pollo y reservar, quitar la grasa de la sartén.

2 Colocar el aceite en la sartén, freír la cebolla, el ajo y los pimientos de 3 a 4 minutos, hasta que estén suaves. Devolver el pollo a la sartén junto con la paprika, el jerez o vermut, los tomates, la hoja de laurel y la ralladura de limón. Dejar que suelte el hervor, cocinar a fuego lento de 35 a 40 minutos, tapada, revolviendo ocasionalmente hasta que el pollo esté bien cocido.

3 Añadir el chorizo y las aceitunas, hervir a fuego lento durante 5 minutos más para calentar bien, sazonar.

Porciones 4

Nota: lleno de sabores del Mediterráneo, este guisado es delicioso con arroz o con pan crujiente. Puedes usar caldo o jugo de naranja en lugar del jerez o vermut.

Piernas de pollo en salsa de eneldo

Preparación 5 mins **Cocción** 1 hr aproximadamente **Calorías** 338 **Grasa** 7.5 g

2 cucharadas de mantequilla

1kg de piernas de pollo

1 taza de cebollas
de cambray, picadas

3 cucharadas de eneldo,
finamente picado

¼ taza de jugo de limón

½ cucharadita de sal

¼ cucharadita de pimienta blanca

1 manojo de zanahorias, peladas

2 tazas de agua

1 cubo de caldo de pollo

2 cucharadas de maicena

2 cucharadas de agua, extra

1 En una cacerola grande calentar la mantequilla. Añadir las piernas en tandas y dorar ligeramente por todos lados. Retirar y colocar en un platón mientras se dora el resto.

2 Añadir las cebollas de cambray y saltear durante 1 minuto. Agregar el eneldo. Verter el jugo de limón, devolver las piernas a la cacerola y espolvorear con sal y pimienta.

3 Acomodar las zanahorias sobre las piernas. Añadir el agua y el cubo de caldo de pollo. Dejar que suelte el hervor, bajar el fuego, tapar y hervir a fuego lento durante 40 minutos hasta que esté suave.

4 Con una cuchara coladora retirar las piernas y las zanahorias, acomodarlas sobre un platón caliente. Disolver la maicena con agua y verterla a los jugos de la cacerola. Revolver sobre el fuego hasta que la salsa hierva y espese. Verter sobre las piernas y las zanahorias. Servir de inmediato con pan crujiente.

Porciones 6

Guisado de conejo, aceitunas y cebolla

Preparación 5 mins + tiempo para marinar **Cocción** 1 hr 30 mins **Calorías** 458 **Grasa** 5.5 g

700g de piezas de conejo

2 tazas de vino blanco seco

3 ramitas de orégano fresco

3 hojas de laurel

5 cucharadas de aceite de oliva

1 taza de cebollas baby,
peladas, en mitades

6 dientes de ajo, sin pelar

1 cucharada de paprika o pimentón

$^2/_3$ taza de caldo de pollo

$^1/_2$ taza de aceitunas negras

Sal y pimienta negra recién molida

Ramitas de orégano fresco,
para decorar

1 En un tazón grande mezclar el conejo, el vino, el orégano y las hojas de laurel. Tapar y refrigerar durante toda la noche.

2 Colar el conejo y reservar la marinada. Precalentar el horno.

3 En una sartén grande calentar el aceite, dorar el conejo por ambos lados en tandas pequeñas. Retirar de la sartén y colocar en un recipiente.

4 Dorar las cebollas y el ajo en la sartén. Cuando estén dorados añadir la paprika. Revolver constantemente durante 2 minutos, verter el caldo y la marinada reservada. Dejar que suelte el hervor.

5 Verter la mezcla del caldo y las cebollas sobre el conejo, añadir las aceitunas y sazonar con sal y pimienta.

6 Tapar y hornear durante 15 minutos o hasta que el conejo esté cocido y suave. Decorar con las ramitas de orégano fresco y servir con pan abundante para que absorba la salsa.

Porciones 4

Temperatura del horno 180°C, 350°F

Pollo con nueces de la India

Preparación 10 mins **Cocción** 1 hr **Calorías** 451 **Grasa** 18 g

4 cucharadas de ghi o mantequilla

2 dientes de ajo, machacados

2 cebollas, picadas

1 cucharada de curry en pasta
(condimento picante
de la cocina hindú)

1 cucharada de cilantro, molido

1/2 cucharadita de
nuez moscada, molida

700g de filetes de muslos de pollo
o de pechuga, sin hueso,
en cubos de 2cm

1/4 taza de nueces de la India,
tostadas, molidas

1 1/4 tazas de crema

2 cucharadas de leche de coco

1. Para dorar las nueces, en una charola para horno esparcir las nueces y hornear de 5 a 10 minutos o hasta que estén ligeramente doradas. Mover con una cuchara ocasionalmente para asegurar que se doren de manera uniforme. Otra alternativa es colocarlas bajo el grill a intensidad media y cocerlas, revolviendo, hasta que estén tostadas.

2. En una cacerola derretir el ghi o la mantequilla a fuego medio, añadir el ajo y las cebollas, cocer revolviendo durante 3 minutos o hasta que las cebollas estén doradas.

3. Añadir el curry, el cilantro y la nuez moscada, cocer durante 2 minutos o hasta que suelte el aroma. Agregar el pollo y cocer, revolviendo, durante 5 minutos o hasta que el pollo esté dorado.

4. Añadir las nueces, la crema y la leche de coco, dejar que suelte el hervor y cocinar a fuego lento durante 40 minutos, revolviendo ocasionalmente, o hasta que el pollo esté suave. Servir con arroz.

Porciones 6

Temperatura del horno 180°C, 350°F

Cerdo en salsa de nueces

Preparación 25 mins + 1 hr para reposar **Cocción** 1 hr 40 mins **Calorías** 120 **Grasa** 2 g

1 ½ kg de carne de cerdo, magra
Sal gruesa
1 cucharada de mantequilla
Nuez moscada, recién molida
Pimienta negra recién molida
1 cucharada de brandy
4 tazas de leche
145g de nueces de Castilla,
sin cáscara, escaldadas,
peladas (opcional)

1 Espolvorear la carne con sal y dejar reposar durante 1 hora. Precalentar el horno.

2 Frotar la carne con mantequilla, sazonar con nuez moscada y pimienta. En una sartén dorar por todos lados, flamear con el brandy. Colocar la carne sobre una rejilla (o sobre un plato al revés) dentro de un recipiente profundo para horno (que no sea demasiado grande). Bañar con la leche y hornear durante 1 ½ horas. También se puede cocer sobre la estufa a fuego lento. Añadir las nueces después de una hora de cocción. Verificar la sazón. Agregar más leche si es necesario.

3 Cuando la carne esté cocida, retirarla del recipiente, rebanarla y servir la salsa aparte. La mejor guarnición es puré de papas y rebanadas de manzana al horno. Rebanar las manzanas y hornearlas con un poco de mantequilla, sal, unas cuantas gotas de jugo de limón y una pizca de canela.

Porciones 6

Temperatura del horno 200°C, 400°F

Gumbo de pollo

Preparación 6 mins **Cocción** 1 hr aproximadamente **Calorías** 328 **Grasa** 9 g

6 cucharadas de mantequilla

6-8 muslos, piernas o alas de pollo

500g de okra (hortaliza de la cual se come su fruto verde)

1 cebolla grande, finamente picada

1 diente de ajo, machacado

1 rebanada de jamón de 250g, picado

1 pimiento rojo, sin semillas, picado

1$\frac{1}{2}$ tazas de tomates pelados, picados

1 cucharadita de pasta de tomate

$\frac{1}{2}$ taza de vino blanco seco o caldo de pollo

1 hoja de laurel

Sal y pimienta recién molida

Pimienta de Cayena o salsa Tabasco

2 cucharadas de perejil, picado

1 En una sartén profunda derretir la mantequilla, añadir el pollo y dorar uniformemente. Retirar y mantener caliente. Agregar la okra, la cebolla, el ajo, el jamón y el pimiento, freír revolviendo a fuego alto hasta que la cebolla esté suave.

2 Añadir los tomates, la pasta de tomate, el vino o el caldo, la hoja de laurel, sal, pimienta y la pimienta de Cayena o la salsa Tabasco al gusto.

3 Colocar el pollo en la sartén, tapar y hervir a fuego lento durante 40 minutos, hasta que el pollo esté suave. Esparcir el perejil y servir con arroz hervido.

Porciones 4

Guisado de cerdo con manzanas

Preparación 10 mins **Cocción** 1 hr 25 mins **Calorías** 422 **Grasa** 10 g

2 cucharadas de mantequilla

2 cebollas, picadas

500g de carne magra de cerdo, en cubos

3 manzanas crujientes grandes, peladas, sin centro, picadas

1 cucharada de hierbas mixtas, secas

3 tazas de caldo de pollo

Pimienta negra recién molida

Salsa de manzana

1 cucharada de mantequilla

2 manzanas crujientes, peladas, sin centro, picadas

2 cucharadas de cebollín fresco, picado

2 tazas de tomates de lata, sin colar, machacados

1 cucharadita de granos de pimienta, machacados

1 En una sartén grande calentar la mantequilla, cocer las cebollas y la carne a fuego medio durante 5 minutos. Agregar las manzanas, las hierbas, el caldo y pimienta al gusto, dejar que suelte el hervor, reducir el fuego y hervir a fuego lento durante 1 hora, o hasta que la carne esté suave. Con una cuchara coladora retirar la carne y reservar.

2 Colar el líquido y presionar los sólidos contra el colador y devolverlo a la sartén junto con la carne.

3 Para hacer la salsa, en una sartén derretir la mantequilla, cocer las manzanas a fuego medio durante 2 minutos. Añadir el cebollín y los tomates, dejar que suelte el hervor. Reducir el fuego y hervir a fuego lento durante 5 minutos. Verter a la sartén con el cerdo y cocer a fuego medio durante 5 minutos más. Espolvorear los granos de pimienta justo antes de servir.

Porciones 4

Guisado de piernas de pollo con verduras

Preparación 5 mins **Cocción** 55 mins **Calorías** 512 **Grasa** 2.5 g

340g de pasta de pesto con tomate
o pasta de pesto (salsa preparada
con ajo, albahaca, piñones
y aceite de oliva)

$^{1}/_{2}$ taza de agua

1kg de piernas de pollo

4 papas medianas, peladas, en
cuartos

2 cucharadas de aceite de oliva

2 cucharadas de perejil,
finamente picado

1$^{1}/_{2}$ tazas de chícharos congelados

1$^{1}/_{2}$ tazas de elotitos baby de lata

1   Precalentar el horno. En un recipiente resistente al fuego
colocar la pasta de pesto con tomate e incorporar el agua.
Acomodar las piernas en una capa y colocar las papas entre
cada pierna. Bañar con el aceite de oliva y espolvorear el
perejil. Tapar o cubrir con papel aluminio.

2   Colocar el recipiente en el horno y hornear durante 30
minutos. Sacar del horno y voltear el pollo y las papas.
Agregar los chícharos y los elotitos. Devolver al horno y
hornear, sin tapar, durante 25 minutos más o hasta que el
pollo y las papas estén suaves.

3   Servir caliente con pan crujiente.

Porciones 4–6

Temperatura del horno 180°C, 350°F

Coq au Vin (pollo al vino)

Preparación 5 mins **Cocción** 1 hr 50 mins **Calorías** 677 **Grasa** 11 g

2kg de piezas de pollo
½ taza de harina sazonada
2 cucharadas de aceite de oliva
2 dientes de ajo, machacados
12 chalotes o cebollas
en escabeche, pelados
8 tiras de tocino, picadas
1 taza de caldo de pollo
3 tazas de vino tinto
1 ½ tazas de champiñones pequeños
Pimienta negra recién molida

1 Revolcar el pollo en la harina para cubrirlo. Sacudir para quitar el exceso y reservar.

2 En una sartén grande de teflón calentar el aceite a fuego medio y cocer el pollo en tandas, volteando frecuentemente, durante 10 minutos o hasta que esté uniformemente dorado. Retirar el pollo de la sartén y escurrir sobre papel absorbente.

3 Añadir a la sartén el ajo, las cebollas o chalotes y el tocino, cocer revolviendo durante 5 minutos o hasta que las cebollas estén doradas. Devolver el pollo a la sartén, incorporar el caldo y el vino, dejar que suelte el hervor. Reducir el fuego, tapar y hervir a fuego lento durante 1 ¼ horas, revolviendo ocasionalmente, o hasta que el pollo esté suave. Agregar los champiñones y pimienta al gusto, cocer durante 10 minutos más.

Porciones 6

Cerdo braseado en leche

Preparación 5 mins **Cocción** 2 hrs 10 mins **Calorías** 406 **Grasa** 8 g

2 cucharadas de mantequilla

1 cucharada de aceite vegetal

1 kg de lomo de cerdo
sin hueso, atado

2 tazas de leche

Pimienta negra recién molida

3 cucharadas de agua tibia

1 En una cacerola grande calentar la mantequilla. Cuando forme espuma añadir la carne y dorar uniformemente.

2 Agregar la leche y la pimienta al gusto, dejar que suelte el hervor. Reducir a fuego lento, tapar y cocer de 1 $\frac{1}{2}$ a 2 horas o hasta que la carne esté cocida. Barnizar ocasionalmente con la leche durante la cocción.

3 Al final de la cocción la leche debe estar espesa y dorada en el fondo de la cacerola, en caso contrario, retirar la tapa y hervir el líquido hasta que dore.

4 Retirar la carne de la sartén y reservar para enfriar un poco. Quitar el cordel de la carne, rebanar y acomodar en un platón para servir. Reservar y mantener caliente.

5 Quitar la grasa de la sartén, incorporar el agua y dejar que suelte el hervor, raspando el fondo para despegar los sedimentos. Colar los jugos de la sartén y verterlos sobre la carne para servir.

Porciones 4

Conejo braseado con frutas secas

Preparación 5 mins **Cocción** 1 hr 20 mins **Calorías** 513 **Grasa** 7.5 g

1 ⅓ kg de conejo

Sal y pimienta

2 cucharadas de aceite
o mantequilla clarificada

6 cebollas pequeñas, en mitades

2 tazas de agua

1 cucharada de tomillo fresco,
picado

2 hojas de laurel

1 ½ tazas de frutas secas, mixtas

1 ¼ tazas de vino tinto

½ taza de crema

1 Lavar el conejo y secar con un paño. Cortar en piezas, sazonar con sal y pimienta. En una sartén o cacerola grande calentar el aceite y la mantequilla. Añadir las piezas de conejo y dorar uniformemente a fuego alto.

2 Transferir a un platón. Reducir el fuego, añadir las cebollas y cocer hasta que estén doradas. Añadir el agua y revolver para mezclar con el jugo de la sartén. Devolver el conejo a la sartén, espolvorear el tomillo picado y añadir las hojas de laurel. Tapar y hervir a fuego lento durante 40 minutos.

3 Agregar las frutas secas y el vino, tapar, hervir a fuego lento durante 30 minutos más o hasta que el conejo esté suave. Si es necesario añadir más líquido a la sartén durante la cocción. Verificar y ajustar la sazón. Quitar la tapa e incorporar la crema. Hervir a fuego lento, sin tapar, durante 5 minutos. Servir con arroz o puré de papas.

Porciones 6

Nota: las frutas secas son, por lo general, peras, manzanas, chabacanos, pasas y ciruelas pasa deshidratadas.

Guisados con pescados, mariscos y verduras

Sumérgete en el océano o en la tierra para inspirarte mientras creas deliciosos guisados con los frescos sabores de los pescados, los mariscos y las verduras. Prepara un guisado de pescado estilo mediterráneo, o un guisado de langosta con queso burbujeante, o un guisado marroquí con papas y limón, o un guisado de verduras y frijoles. Transporta el mundo a tu cocina a medida que experimentas con cada uno de nuestros guisados con pescados, mariscos y verduras. Te aseguramos que los añadirás a tu repertorio de recetas.

Estofado de pescado sobre puré de romero

Preparación 20 mins **Cocción** 30 mins **Calorías** 60 **Grasa** 1.5 g

2 cucharaditas de aceite de oliva

1 puerro, picado

1 diente de ajo, machacado

1 cucharadita de orégano, molido

4 hongos shiitake, rebanados

1 tallo de apio, rebanado

1 cucharada de pasta de tomate,
sin sales añadidas

2 calabacitas, rebanadas

2 tazas de tomates de lata, sin sales
añadidas, picados

½ taza de vino blanco

455g de filetes de pescado blanco,
como abadejo, róbalo, bacalao

1 cucharada de albahaca fresca, picada

1 cucharada de perejil fresco, picado

Puré de romero

1 ramita de romero fresco

2 cucharadas de aceite de oliva

2 papas grandes, picadas

¼ taza de leche baja
en grasas, caliente

Pimienta blanca, molida

Jugo de limón (opcional)

1   Para hacer el puré de romero, quitar las hojas de la ramita de romero. En una cacerola pequeña colocar las hojas y el aceite a fuego lento y calentar. Retirar del fuego, dejar reposar para que los sabores se desarrollen. Es recomendable hacerlo con varias horas de antelación porque, mientras más tiempo esté el aceite impregnándose en las hojas, el sabor se hace más intenso. Hervir las papas o cocerlas en el horno de microondas hasta que estén suaves. Colar bien. Añadir la leche y el aceite de romero. Machacar y sazonar con la pimienta blanca y el jugo de limón al gusto. Mantener caliente o recalentar justo antes de servir.

2   En una sartén grande de teflón calentar el aceite a fuego medio. Añadir el puerro y el ajo. Cocer de 1 a 2 minutos o hasta que estén suaves, revolviendo. Agregar el orégano, los champiñones y el apio. Cocer de 2 a 3 minutos, revolviendo. Añadir la pasta de tomate. Cocer de 3 a 4 minutos o hasta que tome un color rojo intenso y despida un rico aroma.

3   Añadir las calabacitas, los tomates y el vino. Dejar que suelte el hervor. Reducir el fuego y hervir a fuego lento, revolviendo ocasionalmente, durante 5 minutos o hasta que la mezcla comience a espesar.

4   Agregar el pescado. Cocer durante 6 minutos o hasta que el pescado esté apenas cocido, si se cuece en exceso el pescado se desmenuza. Incorporar la albahaca y el perejil.

5   Para servir, colocar una cucharada del puré en cada plato individual. Colocar encima el guisado de pescado. Acompañar con una ensalada verde o verduras al vapor.

Porciones 4

Guisado de frijoles y verduras

Preparación 20 mins + 20 mins para remojar   **Cocción** 40 mins   **Calorías** 456   **Grasa** 14 g

½ taza de hongos porcini, secos

3 cucharadas de aceite de oliva

1½ taza de champiñones grandes, picados

2 zanahorias, picadas

1 papa grande, picada

1 taza de ejotes, picados

½ cucharada de tomillo, seco

½ cucharada de salvia, seca

2 dientes de ajo, machacados

1½ tazas de vino tinto

2 tazas de caldo de verduras

Sal y pimienta negra

1 taza de habas, congeladas

1 taza de frijoles claros, congelados

1 taza de frijoles blancos o alubias, congelados

1 Cubrir los hongos porcini con 2½ tazas de agua hirviendo, dejar remojar durante 20 minutos. Mientras, en una cacerola grande calentar el aceite, añadir los champiñones frescos, las zanahorias, la papa y los ejotes, freír ligeramente de 3 a 4 minutos hasta que estén ligeramente suaves.

2 Agregar el tomillo, la salvia, el ajo, los hongos porcini con el líquido de remojo, el vino, el caldo y sazonar. Dejar que suelte el hervor, cocinar a fuego lento durante 20 minutos, sin tapar, o hasta que las verduras estén suaves.

3 Añadir las habas y hervir a fuego lento durante 10 minutos más o hasta que estén suaves. Colar y enjuagar los frijoles claros y los frijoles blancos o alubias, añadirlos a la mezcla, hervir a fuego lento de 2 a 3 minutos para calentar bien.

Porciones 4

Nota: un pan crujiente es el acompañamiento perfecto para este delicioso platillo de invierno y remojarlo en la rica salsa de vino. Sírvelo con una botella de Cabernet Sauvignon.

Curry de verduras baby con peras

Preparación 20 mins **Cocción** 50 mins **Calorías** 147 **Grasa** 9 g

3 cucharadas de aceite de cacahuate

2 cebollas, finamente picadas

6 dientes de ajo, finamente picados

2 peras, peladas, sin centro, finamente picadas

3 cucharadas de pasta de tomate

2 cucharadas de curry en polvo (condimento picante de la cocina hindú)

2 tazas de caldo de verduras

Sal y pimienta negra

1$\frac{1}{2}$ tazas de zanahorias baby

1$\frac{1}{2}$ tazas de racimos de brócoli

1$\frac{1}{2}$ tazas de coliflor baby, en cuartos

3 cucharadas de hojas de cilantro, picadas

1 En una cacerola grande de base gruesa calentar el aceite. Añadir las cebollas y el ajo, cocer de 6 a 8 minutos hasta que estén dorados. Agregar las peras y freír de 6 a 8 minutos más, revolviendo y raspando el fondo de la sartén ocasionalmente hasta que las peras se suavicen y comiencen a dorarse. Verter un poco de agua si la mezcla se seca demasiado.

2 Incorporar la pasta de tomate y el curry en polvo, freír de 1 a 2 minutos para liberar los sabores. Agregar el caldo, sazonar y dejar que suelte el hervor. Reducir el fuego y hervir a fuego lento, sin tapar, durante 15 minutos o hasta que el líquido se haya reducido ligeramente.

3 Añadir las zanahorias, tapar, hervir a fuego lento durante 5 minutos. Agregar el brócoli y la coliflor, tapar, hervir a fuego lento de 10 a 15 minutos más, hasta que las verduras estén suaves. Esparcir el cilantro encima justo antes de servir.

Porciones 6

Nota: las peras añaden un riquísimo toque dulce a este condimentado curry, que combina excelente con arroz basmati o de grano largo. Utiliza verduras previamente preparadas para reducir el tiempo de preparación.

Sopa de ostiones estilo Manhattan

Preparación 25 mins **Cocción** 1 hr aproximadamente **Calorías** 45 **Grasa** 3 g

2 cucharadas de aceite de oliva

1 cebolla, picada, en trozos medianos

125g de champiñones, en cuartos

2 dientes de ajo, picados

3 tazas de caldo de pescado

455g de tomates de lata, sin semillas, picados

1 hoja de laurel

$\frac{1}{4}$ cucharadita de romero, triturado

$\frac{1}{4}$ cucharadita de orégano, triturado

1 pizca de hojuelas de chile, picante

1 calabacita, en trozos medianos

1 frasco de ostiones

Perejil para decorar

1 En una cacerola grande calentar el aceite, saltear las cebollas y los champiñones hasta que las cebollas estén doradas y los champiñones tomen color café. Agregar el ajo y revolver durante 1 minuto. Añadir el caldo de pescado, los tomates picados y el jugo reservado de la lata de los tomates. Incorporar la hoja de laurel, el romero, el orégano y las hojuelas de chile. Dejar que suelte el hervor, reducir el fuego y cocinar a fuego lento durante 25 minutos, parcialmente tapada.

2 Agregar la calabacita, tapar y hervir a fuego lento durante 10 minutos más, hasta que la calabacita esté casi suave. Añadir los ostiones con el líquido a la sopa y cocer, sin tapar, hasta que las orillas de los ostiones comiencen a rizarse. (Deben estar suaves, no chiclosos).

3 Ladear la cacerola para servir en tazones individuales. Espolvorear con perejil y servir de inmediato. Las galletas saladas son un ingrediente ideal para añadir a esta sopa.

Porciones 4

Nota: Este condimentado chowder es justo lo que necesitas para un almuerzo calientito o para una cena ligera con una gran variedad de guarniciones.

Guisado de mariscos

Preparación 35 mins **Cocción** 30 mins aproximadamente **Calorías** 100 **Grasa** 5 g

750g de langosta viva o 2 colas de langosta congeladas

6 cucharadas de aceite de oliva

500g de langostinos, sin piel

500g de bacalao, rape o algún otro filete de pescado de carne firme

250g de calamares pequeños, enteros, limpios

1 cebolla pequeña, picada

1 pimiento rojo, picado

3 dientes de ajo, triturado

3 jitomates medianos, pelados, sin semillas, picados

¼ cucharadita de hebras de azafrán

2 cucharadas de perejil, triturado

1 hoja de laurel

½ cucharadita de tomillo, seco

¼ cucharadita de pimienta roja, machacada

¾ taza de vino blanco

¼ taza de jugo de limón

Sal y pimienta negra recién molida

12 almejas muy pequeñas, limpias

12 mejillones, limpios, sin barbas

1 Cortar las pinzas y la cola de la langosta, cortar en trozos medianos (pedir al pescadero que la prepare lo más cercano a la hora en que se va a preparar). Para la langosta congelada, cortar las colas en trozos medianos.

2 En un recipiente grande y poco profundo resistente al fuego calentar el aceite, saltear rápidamente la langosta a fuego alto durante 3 minutos. Transferir a un platón y reservar.

3 Saltear los langostinos y el pescado a fuego alto durante 1 minuto, transferir al platón.

4 Colocar los calamares en el recipiente y saltear durante 1 minuto. Añadir la cebolla, el pimiento y el ajo, saltear a fuego medio hasta que la cebolla esté marchita. Agregar los jitomates, el azafrán, 1 cucharada del perejil, la hoja de laurel, el tomillo y la pimienta machacada, saltear durante 2 minutos. Incorporar el vino, el jugo de limón, sal y pimienta, cocer sin tapar durante 10 minutos. Agregar los mariscos reservados, tapar y hervir a fuego lento durante 10 minutos más.

5 En una sartén tapada cocer al vapor las almejas y los mejillones con 2 tazas de agua a fuego alto. Sacar las almejas que vayan abriendo y añadirlas al recipiente con el estofado. Cortar el pescado en trozos. Servir el estofado en el recipiente.

Porciones 6

Pulpo con papas y chícharos

Preparación 20 mins **Cocción** 1 ½ hrs aproximadamente **Calorías** 125 **Grasa** 6.5 g

1kg de pulpo, limpio, sin piel
Sal
145ml de aceite de oliva
1 cebolla grande, picada
4 dientes de ajo, picados
400g de tomates de lata
¼ cucharadita de chiles, molidos
500g de papas, peladas, cortadas
en rebanadas gruesas
250g de chícharos cocidos

1   En una cacerola colocar el pulpo sin añadir agua. Espolvorear con sal, tapar, dejar cocinar en su propio jugo a fuego lento durante 45 minutos.

2   Cuatro veces durante la cocción levantar el pulpo con un tenedor y sumergirlo en una cacerola con agua hirviendo, colocarlo bajo el chorro de agua fría y devolverlo a la cacerola para continuar la cocción.

3   En un recipiente resistente al fuego calentar el aceite de oliva, freír la cebolla, el ajo, los tomates y el chile en polvo durante 10 minutos o hasta que la cebolla se ponga opaca. Agregar las papas y cocer durante 5 minutos. Añadir el pulpo y suficiente líquido de cocción para cubrir el contenido del recipiente. Sazonar con sal al gusto, cocer sin tapar durante 30 minutos o hasta que las papas estén suaves y la salsa haya reducido mucho.

4   Añadir los chícharos cocidos al recipiente y calentar bien. Servir el pulpo y las verduras directamente del recipiente.

Porciones 4

Verduras braseadas con costra de queso cheddar

Preparación 30 mins **Cocción** 1 hr 35 mins **Calorías** 522 **Grasa** 34 g

4 cucharadas de aceite de oliva

2 cucharadas de mantequilla

2 cebollas moradas, finamente rebanadas

1 manojo de apio sin la parte blanca, sin hojas, en rebanadas gruesas

2 zanahorias grandes, en rebanadas gruesas

2 dientes de ajo, machacados

Sal y pimienta negra

4 champiñones grandes, rebanados

3 pimientos rojos, sin semillas, cortados en tiras

1 cucharadita de orégano, 1 de tomillo, secos

2 berenjenas, en rebanadas gruesas

1 taza de caldo de verduras

Costra

2 tazas de harina común

2 cucharadas de polvo para hornear

5 cucharadas de mantequilla congelada, en cubos

5 cucharadas de queso cheddar, rallado

2 cucharadas de pan molido, fresco

½ taza de crema

2 cucharadas de perejil fresco, picado

1 cucharadita de orégano, seco

1 En una sartén grande calentar 1 cucharada del aceite con 1 cucharada de mantequilla. Añadir las cebollas, el apio, las zanahorias y el ajo. Freír durante 10 minutos, revolviendo constantemente. Sazonar, retirar de la sartén y reservar.

2 Precalentar el horno. Calentar una cucharada de aceite en la sartén, añadir los champiñones, los pimientos, el orégano y el tomillo, freír durante 5 minutos, revolviendo constantemente. Sazonar y añadir a las otras verduras. Calentar el resto del aceite y freír la berenjena durante 3 minutos, volteando una vez, para que se dore.

3 Con el resto de la mantequilla engrasar un recipiente para lasaña. Añadir las verduras, verter el caldo y cubrir con papel aluminio sin ajustar. Cocer durante 40 minutos. Retirar el papel, revolver y cocer durante 5 minutos más o hasta que esté suave.

4 Para preparar la costra, en un tazón colocar la harina y el polvo para hornear cernidos. Incorporar la mantequilla con los dedos hasta que la mezcla parezca migajas grandes de pan. Añadir el queso cheddar, el pan molido, la crema, el perejil y el orégano, sazonar. Aumentar la temperatura del horno a 230°C. Colocar la mezcla de la costra sobre las verduras. Cocer durante 20 minutos o hasta que esté dorada. Reservar para reposar durante 10 minutos antes de servir.

Porciones 6

Nota: es un plato principal vegetariano con un delicioso sabor que dejará satisfechos incluso a los carnívoros más difíciles de complacer.

Temperatura del horno 200°C, 400°F

Guisado de langosta con queso

Preparación 10 mins **Cocción** 30 mins **Calorías** 323 **Grasa** 12.5 g

500g de carne de langosta, en cubos

2 cucharadas de mantequilla

¼ taza de harina común

¾ taza de leche

1 ¼ tazas de crema batida

½ taza de queso cheddar, rallado

½ cucharadita de sal

¾ taza de pimiento verde, picado

¼ taza de queso cheddar, rallado, extra

1 pizca de paprika o pimentón

1 Precalentar el horno. En un recipiente resistente al fuego engrasado colocar la langosta. En una cacerola derretir la mantequilla a fuego lento, incorporar la harina y añadir poco a poco la leche y la crema. Cocer revolviendo constantemente hasta que la mezcla esté espesa y suave. Añadir el queso, la sal y el pimiento. Revolver hasta que el queso se derrita. Verter sobre la langosta. Espolvorear el queso extra encima y decorar con la paprika. Hornear durante 15 minutos. Asar bajo el grill durante 2 minutos para dorar la superficie y servir.

Porciones 4–6

Temperatura del horno 180°C, 350°F

Guisado de pescados y mariscos

Preparación 5 mins **Cocción** 35 mins **Calorías** 228 **Grasa** 1 g

1 cucharada de aceite de oliva
1 cebolla mediana, picada grueso
1 puerro, finamente picado
2 dientes de ajo, machacados
2 tazas de tomates de lata
2 hojas de laurel
1 cucharada de perejil, picado
¼ taza de vino blanco
Sal y pimienta negra recién molida
1kg de pescados y mariscos mixtos*
2 cucharadas de orégano fresco, picado

1. En un recipiente resistente al fuego calentar el aceite. Saltear la cebolla, el puerro y el ajo hasta que estén suaves y ligeramente dorados.

2. Añadir los tomates, las hojas de laurel, el perejil, el vino, sal y pimienta. Dejar que suelte el hervor, tapar y hervir a fuego lento durante 20 minutos.

3. Agregar el pescado de carne firme y hervir a fuego lento durante 5 minutos. Añadir el pescado de carne suave, colocar los mariscos encima.

4. Tapar y continuar la cocción de 5 a 7 minutos o hasta que el pescado esté suave y las conchas de los mariscos se hayan abierto, desechar los que permanezcan cerrados.

5. Servir decorado con el orégano.

Porciones 4–6

Nota: se recomienda usar salmonete, rape, bacalao, calamares, mejillones, langostinos pelados y almejas.

Glosario

A la diabla: platillo o salsa ligeramente sazonado con un ingrediente picante como mostaza, salsa inglesa o pimienta de Cayena.

Aceite de ajonjolí tostado (también llamado aceite de ajonjolí oriental): aceite oscuro poliinsaturado con punto de ebullición bajo. No debe reemplazarse por aceite más claro.

Aceite de cártamo: aceite vegetal que contiene la mayor proporción de grasas poliinsaturadas.

Aceite de oliva: diferentes grados de aceite extraído de las aceitunas. El aceite de oliva extra virgen tiene un fuerte sabor afrutado y el menor grado de acidez. El aceite de oliva virgen es un poco más ácido y con un sabor más ligero. El aceite de oliva puro es una mezcla procesada de aceites de oliva, tiene el mayor grado de acidez y el sabor más ligero.

Acremar: hacer suave y cremoso al frotar con el dorso de una cuchara o al batir con una batidora. Por lo general se aplica a la grasa y al azúcar.

Agua acidulada: agua con un ácido añadido, como jugo de limón o vinagre, que evita la decoloración de los ingredientes, en particular de la fruta o las verduras. La proporción de ácido con agua es 1 cucharadita por cada 300ml.

Al dente: término italiano para cocinar que se refiere a los ingredientes cocinados hasta que estén suaves, pero firmes al morderlos, por lo general se aplica para la pasta.

Al gratín: alimentos espolvoreados con pan molido, por lo general cubiertos de una salsa de queso y dorado hasta que se forma una capa crujiente.

Amasar: trabajar la masa usando las manos, aplicando presión con la palma de la mano, y estirándola y doblándola.

Américaine: método para servir pescados y mariscos, por lo general langostas y rapes, en una salsa de aceite de oliva, hierbas aromáticas, jitomates, vino tinto, caldo de pescado, brandy y estragón.

Anglaise: estilo de cocinar que se refiere a platillos cocidos simples, como verduras hervidas.

Antipasto: término italiano que significa "antes de la comida", se refiere a una selección de carnes frías, verduras, quesos, por lo general marinados, que se sirven como entremés. Un antipasto típico incluye salami, prosciutto, corazones de alcachofa marinados, filetes de anchoas, aceitunas, atún y queso provolone.

Bañar: humedecer la comida durante la cocción vertiendo o barnizando líquido o grasa.

Baño María: una cacerola dentro de una sartén grande llena de agua hirviendo para mantener los líquidos en punto de ebullición.

Batir: agitar vigorosamente.

Batir: batir rápidamente para incorporar aire y provocar que el ingrediente se expanda.

Beurre manié: cantidades iguales de mantequilla y harina amasadas y añadidas, poco a poco, para espesar un caldo.

Blanc: líquido que se hace al añadir harina y jugo de limón al agua para evitar que ciertos alimentos se decoloren durante la cocción.

Blanquear: sumergir en agua hirviendo y después, en algunos casos, en agua fría. Las frutas y las nueces se blanquean para quitarles la piel con mayor facilidad.

Blanquette: estofado blanco de cordero, ternera o pollo cubiertos de yemas de huevo y crema, acompañado de cebolla y champiñones.

Bonne femme: platos cocinados al tradicional estilo francés "ama de casa". El pollo y el cerdo *bonne femme* se acompañan de tocino, papas y cebollas baby; el pescado *bonne femme* con champiñones en una salsa de vino blanco.

Bouquet garni: un conjunto de hierbas, por lo general de ramitas de perejil, tomillo, mejorana, romero, una hoja de laurel, granos de pimienta y clavo en un pequeño saco que se utiliza para dar sabor a estofados y caldos.

Brasear: cocer piezas enteras o grandes de aves, animales de caza, pescados, carnes o verduras en una pequeña cantidad de vino, caldo u otro líquido en una cacerola cerrada. El ingrediente principal se fríe primero en grasa y se cuece al horno o sobre la estufa. Esta técnica es ideal para carnes duras y aves maduras, produce una rica salsa.

Caldo: líquido que resulta de cocer carne, huesos y/o verduras en agua para hacer una base para sopas y otras recetas. Se puede sustituir el caldo fresco por caldo en cubitos, aunque es necesario verificar el contenido de sodio para las dietas reducidas en sal.

Calzone: paquetito semicircular de masa para pizza relleno de carne o verduras, sellado y horneado.

Caramelizar: derretir el azúcar hasta que forme un jarabe dorado-café.

Carne magra: la grasa y los cartílagos son retirados de la carne de un hueso y la carne queda virtualmente sin grasa.

Cernir: pasar una sustancia seca en polvo por un colador para retirar grumos y que sea más ligera.

Chasseur: término francés que significa "cazador". Es un estilo de platillo en el que se cuecen carnes y pollos con champiñones, cebollas de cambray, vino blanco y tomate.

Concasser: picar grueso, por lo general se refiere a jitomates.

Confitar: significa preservar; alimentos en conserva al cocerlos de manera muy lenta hasta que estén tiernos. En el caso de la carne, como la carne de pato o de ganso, se cuece en su propia grasa para que la carne no entre en contacto con el aire. Algunas verduras como la cebolla se hacen confitadas.

Consomé: sopa ligera hecha, por lo general, de res.

Couli: puré ligero hecho de frutas o verduras frescas o cocidas, con la consistencia suficiente para ser vertido. Su consistencia puede ser rugosa o muy suave.

Crepa: mezcla dulce o salada con forma de disco plano.

Crudités: verduras crudas cortadas en rebanadas o tiras para comer solas o con salsa, o verduras ralladas como ensalada con un aderezo sencillo.

Crutones: pequeños cubos de pan tostados o fritos.

Cuajar: hacer que la leche o una salsa se separe en sólido y líquido, por ejemplo, mezclas de huevo sobrecocidas.

Cubrir: forrar con una ligera capa de harina, azúcar, nueces, migajas, semillas de ajonjolí o de amapola, azúcar con canela o especias molidas.

Cuscús: cereal procesado a partir de la sémola, tradicionalmente se hierve y se sirve con carne y verduras es el típico platillo del norte de África.

Decorar: adornar la comida, por lo general se usa algo comestible.

Derretir: calentar hasta convertir en líquido.

Desglasar: disolver el jugo de cocción solidificado en la sartén al añadirle líquido, raspar y mover vigorosamente mientras el líquido suelta el hervor. Los jugos de cocción se pueden usar para hacer *gravy* o para añadirse a la salsa.

Desgrasar: retirar la grasa de la superficie de un líquido. Si es posible, el líquido debe estar frío para que la grasa esté sólida. En caso contrario, retirar la grasa con una cuchara grande de metal y pasar un pedazo de papel absorbente por la superficie del líquido para retirar los restos.

Desmenuzar: separar en pequeños trocitos con un tenedor.

Despiezar: cortar las aves, animales de caza o animales pequeños en piezas divididas en los puntos de las articulaciones.

Disolver: mezclar un ingrediente seco con líquido hasta que se absorba.

Emulsión: mezcla de dos líquidos que juntos son indisolubles, como el agua y el aceite.

En cubos: cortar en piezas con seis lados iguales.

Engrasar: frotar o barnizar ligeramente con aceite o grasa.

Enjuagar: remojar en un líquido templado o frío para suavizar la comida y eliminar los sabores fuertes o las impurezas.

Ensalada mixta: guarnición de verduras, por lo general zanahorias, cebollas, lechuga y jitomate.

Entrada: en Europa significa aperitivo, en Estados Unidos significa plato principal.

Escaldar: llevar justo al punto de ebullición, por lo general se usa para la leche. También significa enjuagar en agua hirviendo.

Espesar: hacer que un líquido sea más espeso al mezclar arrurruz, maicena o harina en la misma cantidad de agua fría y verterla al líquido caliente, cocer y revolver hasta que espese.

Espolvorear: esparcir o cubrir ligeramente con harina o azúcar glas.

Espumar: retirar una superficie (por lo general, de impurezas) de un líquido, usando una cuchara o pala pequeña.

Fenogreco: pequeña hierba anual de la familia del chícharo. Sus semillas se usan para sazonar. El fenogreco molido tiene un fuerte sabor dulce, como a maple, picante y amargo, su aroma es de azúcar quemada.

Fibra dietética: parte de algunos alimentos que el cuerpo humano no digiere o lo hace parcialmente y que promueve la sana digestión de otras materias alimenticias.

Filete: corte especial de la res, cordero, cerdo, ternera, pechuga de aves, pescado sin espinas cortado a lo largo.

Fileteado: rebanado en trozos largos y delgados, se refiere a las nueces, en especial a las almendras.

Flamear: prender fuego al alcohol sobre la comida.

Fondo: líquido en el que el pescado, las aves o la carne es cocido. Consiste en agua con hojas de laurel, cebolla, zanahoria, sal y pimienta negra recién molida. Entre otros ingredientes se incluyen vino, vinagre, caldo, ajo o cebollas de cambray.

Forrar: cubrir el interior de un recipiente con papel para proteger o facilitar el desmolde.

Freír revolviendo: cocer rebanadas delgadas de carne y verduras a fuego alto con una pequeña cantidad de aceite, sin dejar de revolver. Tradicionalmente se fríe en un wok, aunque se puede usar una sartén de base gruesa.

Freír: cocer en una pequeña cantidad de grasa hasta que dore.

Fricassée: platillo que incluye aves, pescado o verduras con salsa blanca o *velouté*. En Gran Bretaña y Estados Unidos, el nombre se aplica a un antiguo platillo de pollo en una salsa cremosa.

Frotar: método para incorporar grasa con harina, usando sólo las puntas de los dedos. También incorpora aire a la mezcla.

Galangal: miembro de la familia del jengibre conocido popularmente como jengibre de Laos. Tiene un ligero sabor a pimienta con matices de jengibre.

Ganache: relleno o glasé hecho de crema entera, chocolate y/u otros sabores que se usa para cubrir las capas de algunos pasteles de chocolate.

Glaseado: cubierta delgada de huevo batido, jarabe o gelatina que se barniza sobre galletas, frutas o carnes cocidas.

Gluten: proteína de la harina que se desarrolla al amasar la pasta y la hace elástica.

Grasa poliinsaturada: uno de los tres tipos de grasas que se encuentran en la comida. Se encuentra en grandes cantidades en aceites vegetales, como el aceite de cártamo, de girasol, de maíz y de soya. Este tipo de grasa disminuye el nivel del colesterol en la sangre.

Grasa total: ingesta diaria individual de los tres tipos de grasa antes descritos. Los nutriólogos recomiendan que la grasa aporte no más del 35 por ciento de la energía diaria de la dieta.

Grasas monoinsaturadas: uno de los tres tipos de grasas que se encuentran en los alimentos. Se cree que este tipo de grasas no eleva el nivel de colesterol en la sangre.

Grasas saturadas: uno de los tres tipos de grasa que encontramos en los alimentos. Existen en grandes cantidades en productos animales, en aceites de coco y palma. Aumentan los niveles de colesterol en la sangre. Puesto que los niveles altos de colesterol causan enfermedades cardiacas, el consumo de grasas saturadas debe ser menor al 15 por ciento de la ingesta diaria de calorías.

Gratinar: platillo cocido al horno o bajo la parrilla de manera que desarrolla una costra color café. Se hace espolvoreando queso o pan molido sobre el platillo antes de hornear. La costra gratinada queda muy crujiente.

Harina sazonada: harina a la que se añade sal y pimienta.

Hervir a fuego lento: cocer suavemente la comida en líquido que burbujea de manera uniforme justo antes del punto de ebullición para que se cueza parejo y que no se rompa.

Hojas de vid o de parra: hojas tiernas, con sabor ligero, que se usan para envolver mezclas. Las hojas deben lavarse bien antes de usarse.

Humedecer: devolver la humedad a los alimentos deshidratados al remojarlos en líquido.

Incorporar ligeramente: combinar moderadamente una mezcla delicada con una mezcla más sólida, se hace con una cuchara de metal.

Infusionar: sumergir hierbas, especias u otros saborizantes en líquidos calientes para darle sabor. El proceso tarda de 2 a 5 minutos, dependiendo del sabor. El líquido debe estar muy caliente sin que llegue a hervir.

Juliana: cortar en tiras del tamaño de un cerillo sobre todo las verduras.

Laqueado: azúcar caramelizada desglasada con vinagre que se usa en las salsas de múltiples sabores para platillos como pato a la naranja.

Macerar: remojar alimentos en líquido para ablandarlos.

Mantequilla clarificada por ebullición (o ghi): proceso que consiste en separar la mantequilla (sólido y líquido) al hervirla.

Mantequilla clarificada: derretir la mantequilla y separar el aceite del sedimento.

Marcar: hacer cortes superficiales en la comida para evitar que se curve o para hacerla más atractiva.

Marinada: líquido sazonado, por lo general es una mezcla aceitosa y ácida, en el que se remojan los alimentos para suavizarlos y darles más sabor.

Marinar: dejar reposar los alimentos en una marinada para sazonarlos y suavizarlos.

Marinara: estilo "marinero" italiano de cocinar que no se refiere a ninguna combinación especial de ingredientes. La salsa marinara de tomate para pasta es la más común.

Mariposa: corte horizontal en un alimento de manera que, al abrirlo, queda en forma de alas de mariposa. Los filetes, los langostinos y los pescados gruesos por lo general se cortan en mariposa para que se cuezan más rápido.

Mechar: introducir. Por ejemplo, introducir clavos al jamón horneado.

Mezclar: combinar los ingredientes al revolverlos.

Molde: pequeño recipiente individual para hornear de forma oval o redonda.

Nicoise: clásica ensalada francesa que consiste en jitomates, ajo, aceitunas negras, anchoas, atún y judías.

Noisette: pequeña "nuez" de cordero cortada del lomo o costillar que se enrolla y se corta en rebanadas. También significa dar sabor con avellanas o mantequilla cocida hasta que obtenga un color café avellana.

Normande: estilo para cocinar pescado con acompañamiento de camarones, mejillones y champiñones en vino blanco o salsa cremosa; para aves y carnes con una salsa con crema, brandy Calvados y manzana.

Pan naan: pan ligeramente fermentado que se utiliza en la cocina india.

Panada: es un aglutinante hecho con pan, harina o arroz. Proviene del término francés "panade" que significa "puré de pan".

Papillote: cocer la comida en papel encerado o papel de aluminio barnizado con grasa o mantequilla. También se refiere a la decoración que se coloca para cubrir los extremos de las patas de las aves.

Paté: pasta hecha de carne o mariscos que se usa para untar sobre pan tostado o galletas.

Paupiette: rebanada delgada de carne, aves o pescado untada con un relleno y enrollada. En Estados Unidos se le llama "bird" y en Gran Bretaña "olive".

Pelar: quitar la cubierta exterior.

Picar fino: cortar en trozos muy pequeños.

Pochar: hervir ligeramente en suficiente líquido caliente para que cubra al alimento, con cuidado de mantener su forma.

Puré: pasta suave de verduras o frutas que se hace al pasar los alimentos por un colador, licuarlos o procesarlos.

Quemar las plumas: flamear rápidamente las aves para eliminar los restos de las plumas después de desplumar.

Rábano daikon: rábano japonés que es blanco y largo.

Ragú: tradicionalmente, cocido sazonado que contiene carne, verduras y vino. Hoy en día se aplica el término a cualquier mezcla cocida.

Ralladura: delgada capa exterior de los cítricos que contiene el aceite cítrico. Se obtiene con un pelador de verduras o un rallador para separarla de la cubierta blanca debajo de la cáscara.

Reducir: cocer a fuego muy alto, sin tapar, hasta que el líquido se reduce por evaporación.

Refrescar: enfriar rápidamente los alimentos calientes, ya sea bajo el chorro de agua fría o al sumergirlos en agua con hielo, para evitar que sigan cociéndose. Se usa para verduras y algunas veces para bivalvos.

Revolcar: cubrir con un ingrediente seco, como harina o azúcar.

Revolver: mezclar ligeramente los ingredientes, usando dos tenedores o un tenedor y una cuchara.

Rociar: verter con un chorro fino sobre una superficie.

Roulade: masa o trozo de carne, por lo general de cerdo o ternera, relleno, enrollado y braseado o pochado.

Roux: para integrar salsas y se hace de harina con mantequilla o alguna otra sustancia grasosa, a la que se añade un líquido caliente. Una salsa con base de *roux* puede ser blanca, rubia o dorada, depende de la cocción de la mantequilla.

Salsa: jugo derivado de la cocción del ingrediente principal, o salsa añadida a un platillo para aumentar su sabor. En Italia el término suele referirse a las salsas para pasta.

Saltear: cocer o dorar en pequeñas cantidades de grasa caliente.

Sancochar: hervir o hervir a fuego lento hasta que se cueza parcialmente (más cocido que al blanquear).

Sartén de base gruesa: cacerola pesada con tapa hecha de hierro fundido o cerámica.

Sartén de teflón: sartén cuya superficie no reacciona químicamente ante la comida, puede ser de acero inoxidable, vidrio y de otras aleaciones.

Sellar: dorar rápidamente la superficie a fuego alto.

Souse: cubrir la comida, en especial el pescado, con vinagre de vino y especias y cocer lentamente, la comida se enfría en el mismo líquido.

Sudar: cocer alimentos rebanados o picados, por lo general verduras, en un poco de grasa y nada de líquido a fuego muy lento. Se cubren con papel aluminio para que la comida se cueza en sus propios jugos antes de añadirla a otros ingredientes.

Suero de leche: cultivo lácteo de sabor penetrante, su ligera acidez lo hace una base ideal para marinadas para aves.

Sugo: salsa italiana hecha del líquido o jugo extraído de la fruta o carne durante la cocción.

Timbal: mezcla cremosa de verduras o carne horneada en un molde. También se refiere a un platillo horneado en forma de tambor de la cocina francesa.

Trigo bulgur: tipo de trigo en el que los granos se cuecen al vapor y se secan antes de ser machacados.

Verduras crucíferas: ciertos miembros de la familia de la mostaza, la col y el nabo con flores cruciformes y fuertes aromas y sabores.

Vinagre balsámico: vinagre dulce, extremadamente aromático, con base de vino que se elabora en el norte de Italia. Tradicionalmente, el vinagre se añeja durante 7 años, por lo menos, en barriles de diferentes tipos de madera.

Vinagre de arroz: vinagre aromático que es menos dulce que el vinagre de sidra y no tan fuerte como el vinagre de malta destilado. El vinagre de arroz japonés es más suave que el chino.

Pesos y medidas

Cocinar no es una ciencia exacta, no son necesarias básculas calibradas, ni tubos de ensayo, ni equipo científico para cocinar, aunque la conversión de las medidas métricas en algunos países y sus interpretaciones pueden intimidar a cualquier buen cocinero.

En las recetas se dan los pesos para ingredientes como carnes, pescados, aves y algunas verduras, pero en la cocina convencional, unos gramos u onzas de más o de menos no afectan el éxito de tus platillos.

Aunque las recetas se probaron con el estándar australiano de 1 taza/250ml, 1 cucharada/20ml y 1 cucharadita/5ml, funcionan correctamente para las medidas de Estados Unidos y Canadá de 1 taza/8fl oz, o del Reino Unido de 1 taza/300ml. Preferimos utilizar medidas de tazas graduadas y no de cucharadas para que las proporciones sean siempre las mismas. Donde se indican medidas en cucharadas, no son medidas exactas, de manera que si usas la cucharada más pequeña de EU o del Reino Unido el sabor de la receta no cambia. Por lo menos estamos todos de acuerdo en el tamaño de la cucharadita.

En el caso de panes, pasteles y galletas, la única área en la que puede haber confusión es cuando se usan huevos, puesto que las proporciones varían. Si tienes una taza medidora de 250ml o de 300ml, utiliza huevos grandes (65g/2$\frac{1}{4}$ oz) y añade un poco más de líquido a la receta para las medidas de tazas de 300ml si crees que es necesario. Utiliza huevos medianos (55g/2oz) con una taza de 8fl oz. Se recomienda usar tazas y cucharas graduadas, las tazas en particular para medir ingredientes secos. No olvides nivelar estos ingredientes para que la cantidad sea exacta.

Medidas inglesas

Todas las medidas son similares a las australianas, pero hay dos excepciones: la taza inglesa mide 300ml/10$\frac{1}{2}$ fl oz, mientras que las tazas americana y australiana miden 250ml/8$\frac{3}{4}$ fl oz. La cucharada inglesa mide 14.8ml/$\frac{1}{2}$ fl oz y la australiana mide 20ml/$\frac{3}{4}$ fl oz. La medida imperial es de 20fl oz para una pinta, 40fl oz para un cuarto y 160fl oz para un galón.

Medidas americanas

La pinta americana es de 16fl oz, un cuarto mide 32fl oz y un galón americano es de 128fl oz; la cucharada americana es igual a 14.8ml/$\frac{1}{2}$ fl oz, la cucharadita mide 5ml/$\frac{1}{6}$ fl oz. La medida de la taza es de 250ml/8$\frac{3}{4}$ fl oz.

Medidas secas

Todas las medidas son niveladas, así que cuando llenes una taza o cuchara nivélala con la orilla de un cuchillo. La siguiente escala es el equivalente para cocinar, no es una conversión exacta del sistema métrico al imperial. Para calcular el equivalente exacto multiplica las onzas por 28.349523 para obtener gramos, o divide 28.349523 para obtener onzas.

Métrico gramos (g), kilogramos (kg)	Imperial onzas (oz), libras (lb)
15g	$\frac{1}{2}$oz
20g	$\frac{1}{3}$oz
30g	1oz
55g	2oz
85g	3oz
115g	4oz/$\frac{1}{4}$ lb
125g	4$\frac{1}{2}$oz
140/145g	5oz
170g	6oz
200g	7oz
225g	8oz/$\frac{1}{2}$ lb
315g	11oz
340g	12oz/$\frac{3}{4}$ lb
370g	13oz
400g	14oz
425g	15oz
455g	16oz/1 lb
1,000g/1 kg	35.3oz/2.2 lb
1.5 kg	3.33 lb

Temperaturas del horno

Las temperaturas en grados Centígrados no son exactas, están redondeadas y se dan sólo como guía. Sigue las indicaciones de temperatura del fabricante del horno en relación a la descripción del horno que se da en la receta. Recuerda que los hornos de gas son más calientes en la parte superior; los hornos eléctricos son más calientes en la parte inferior y los hornos con ventilador son más uniformes. Para convertir °C a °F multiplica los °C por 9, divide el resultado entre 5 y súmale 32.

	C°	F°	Gas regulo
Muy ligero	120	250	1
Ligero	150	300	2
Moderadamente ligero	160	325	3
Moderado	180	350	4
Moderadamente caliente	190–200	370–400	5–6
Caliente	210–220	410–440	6–7
Muy caliente	230	450	8
Súper caliente	250–290	475–500	9–10

Medidas para tazas

Una taza equivale a los siguientes pesos.

	Métrico	Imperial
Albaricoques, secos, picados	190g	6¾ oz
Almendras, en hojuelas	85g	3oz
Almendras, enteras	125g	4½ oz
Almendras, fileteadas, molidas	155g	5½ oz
Arroz, cocido	155g	5½ oz
Arroz, crudo	225g	8oz
Azúcar, glas cernida	155g	5½ oz
Azúcar, granulada, extrafino	225g	8oz
Azúcar, moreno	155g	5½ oz
Cáscaras de cítricos cristalizadas	225g	8oz
Chips o gotas de chocolate	155g	5oz
Ciruelas, picadas	225g	8oz
Coco, seco	90g	3oz
Fruta, seca (mezcla, sultanas, etc.)	170g	6 oz
Germen de trigo	60g	2oz
Harina	115g	4oz
Hojuelas de avena	90g	3oz
Hojuelas de maíz	30g	1oz
Jengibre, cristalizado	250g	8oz
Mantequilla, margarina	225g	8oz
Manzanas, secas, picadas	125g	4½ oz
Miel, melaza, jarabe dorado	315g	11oz
Nueces, picadas	115g	4oz
Pan molido, comprimido	125g	4½ oz
Pan molido, sin comprimir	55g	2oz
Queso, rallado	115g	4oz
Semillas de ajonjolí	115g	4oz
Uvas pasa	155g	5oz

Longitud

Muchas veces se nos dificulta convertir del sistema imperial al métrico. En esta escala redondeamos las medidas para hacerlo más fácil. Para obtener el equivalente métrico exacto en las conversiones de pulgadas a centímetros, multiplica las pulgadas por 2.54 en donde 1 pulgada equivale a 25.4 milímetros y 1 milímetro equivale a 0.03937 pulgadas.

Moldes para pastel

Métrico	15cm	18cm	20cm	23cm
Imperial	6in	7in	8in	9in

Moldes para pan

Métrico	23 x 12cm	25 x 8cm	28 x 18cm
Imperial	9 x 5in	10 x 3in	11 x 7in

Medidas líquidas

Métrico milililitros (mL)	Imperial onza líquida (fl oz)	Tazas y cucharadas
5mL	⅙fl oz	1 cucharadita
20mL	⅔fl oz	1 cucharada
30mL	1fl oz	1 cda + 2 cdts
55mL	2fl oz	–
63mL	2¼fl oz	¼ taza
85mL	3fl oz	–
115mL	4fl oz	–
125mL	4½fl oz	½ taza
150mL	5¼fl oz	–
188mL	6⅔fl oz	¾ taza
225mL	8fl oz	–
250mL	8¾fl oz	1 taza
300mL	10½fl oz	–
370mL	13fl oz	–
400mL	14fl oz	–
438mL	15½fl oz	1¾ tazas
455mL	16fl oz	–
500mL	17½fl oz	2 tazas
570mL	20fl oz	–
1 litro	35.3fl oz	4 tazas

Medidas de distancia

Métrico milímetros (mm), centímetros (cm)	Imperial pulgadas (in), pies (ft)
5mm, 0.5cm	¼in
10mm, 1cm	½in
20mm, 2cm	¾in
2.5cm	1in
5cm	2in
7½cm	3in
10cm	4in
12½cm	5in
15cm	6in
18cm	7in
20cm	8in
23cm	9in
25cm	10in
28cm	11in
30cm	12in, 1 ft

Índice